BU

Biblioteca Universale Rizzoli

Giovanni Fasanella
Giovanni Pellegrino

LA GUERRA CIVILE

BUR
FUTUROPASSATO

ISBN 88-17-00630-0

Prima edizione BUR Futuropassato: maggio 2005

Realizzazione editoriale: Progedit - Progetti editoriali s.n.c., Bari

Introduzione
Una storia *non conoscibile*

Giovanni Pellegrino non è uno storico. E nemmeno un politico di professione. È un avvocato. Un bravo avvocato di Lecce che il caso catapultò in Parlamento quando meno se l'aspettava. Nel 1987 era stato candidato al Senato come indipendente nella lista del Pci, ma senza alcuna speranza di ottenere il seggio. Arrivò a Palazzo Madama soltanto tre anni dopo. Per «successione ereditaria», come lui stesso ama dire con amara ironia: si era liberato un posto, dopo la prematura scomparsa di due senatori comunisti di Taranto. Diventò senatore il 12 dicembre 1990, anniversario di piazza Fontana. Se i numeri racchiudono dei significati, in quella data c'era il suo destino.

Tra i banchi del Senato, colpì subito per la sua tendenza, del tutto innaturale per un politico, a dar ragione all'avversario, quando riteneva che ne avesse da vendere, e ad ammettere i propri torti, quando era convinto di non essere nel giusto. Fu così, grazie alle sue doti di equilibrio, che nel 1992 si trovò alla presidenza della Giunta per le autorizzazioni a procedere, una sorta di tribunale del Senato che decideva se un magistrato poteva o meno inquisire un parlamentare. Furono soprattutto i democristiani a volerlo alla presidenza: intorno al Palazzo cominciava già a stringersi l'assedio di Mani pulite, e un uomo come lui dava garanzie di imparzialità.

La stessa ragione per la quale, due anni più tardi, subito dopo le elezioni politiche del 1994, gli fu affidata la guida della Commissione parlamentare d'inchiesta sulle stragi e sul terrorismo. Dopo il crollo del Muro, il Paese era ancora più diviso da due contrapposte letture delle vicende del passato.

Il bipolarismo abborracciato, che aveva sostituito il sistema proporzionale dopo quasi mezzo secolo di democrazia bloccata, non aveva certo aiutato a ricomporre le *due Italie*. Un esponente della sinistra stimato dalla destra, come Giovanni Pellegrino, avrebbe potuto aiutare a chiudere i conti aperti attraverso la costruzione di una memoria condivisa.

Degli undici anni vissuti in Senato (nel 2001 non volle più ricandidarsi), ne ha trascorsi nove a indagare sulle vicende più oscure della storia italiana. Prima, ha avuto fra le mani molti dei processi di "tangentopoli" e per fatti di mafia, a cominciare da quello a Giulio Andreotti. Poi, ha studiato migliaia e migliaia di pagine (atti giudiziari e documenti d'archivio) sulle trame che hanno insanguinato il Paese nel decennio terribile aperto con la strage di piazza Fontana (1969) e chiuso con l'assassinio di Aldo Moro (1978), ha ascoltato imputati e testimoni, ha raccolto le confidenze di politici, magistrati, militari, uomini dei servizi segreti.

Presiedendo la Giunta, ha assistito al crollo della prima Repubblica e ha visto nascere l'era di Silvio Berlusconi. Guidando la Commissione stragi, ha capito perché era successo. C'era un filo rosso che percorreva l'intera vicenda italiana del dopoguerra. E Pellegrino, godendo di un punto di vista del tutto privilegiato, ha potuto rintracciarlo prima di qualsiasi storico e con maggiore libertà di qualsiasi politico di professione.

È il filo di uno scontro che parte già dalla Resistenza, e che divide non solo i fascisti dagli antifascisti, ma anche, nel fronte partigiano, i comunisti dagli anticomunisti. Quel filo si dipana poi lungo gli anni della guerra fredda, creando all'interno dei due opposti schieramenti zone di ottuso estremismo, il terreno di coltura delle velleità golpiste da un lato, e rivoluzionarie dall'altro, delle stragi "nere" e del terrorismo "rosso". Sono due estremismi speculari e opposti, che si combattono senza esclusione di colpi, ma che spesso convergono tatticamente in nome di un obiettivo comune: impedire qualsiasi forma di dialogo fra i due schieramenti. Il punto più alto dello scontro si tocca proprio nel decennio

1969-78, quando nasce, matura e si conclude drammaticamente la stagione del compromesso storico tra Dc e Pci, ispirata da Aldo Moro ed Enrico Berlinguer per adeguare l'equilibrio del sistema alle spinte provenienti dalla società. L'interruzione traumatica di quella fase, in seguito all'assassinio di Moro, apre la strada a una crisi non solo dei rapporti fra i partiti, ma delle stesse regole costituzionali. Va in frantumi il patto democratico su cui si era fondata la prima Repubblica dopo il 25 aprile 1945 e che aveva consentito al sistema di sopravvivere durante la guerra fredda.

Dopo il crollo del Muro, lo scontro fra le due Italie si riaccende, con fiammate inimmaginabili fino a quel momento. Dagli armadi della prima Repubblica affiorano improvvisamente gli scheletri di un passato rimosso per quasi mezzo secolo, i miasmi di una storia sempre occultata perché *non conoscibile* per l'opinione pubblica. Il conflitto si trasforma in un feroce regolamento di conti. La sinistra postcomunista cavalca con spregiudicatezza le inchieste della magistratura che azzerano l'intero ceto politico di governo. Per il fronte anticomunista è un golpe. E per riequilibrare il potere giudiziario della sinistra, nasce quello mediatico della destra: Silvio Berlusconi.

Ecco, il filo rimosso di una storia malata. Pellegrino lo ha rintracciato e ricostruito mettendo insieme i tanti pezzi scoperti durante il suo viaggio a ritroso nelle vicende di mezzo secolo. Ma come sempre accade agli uomini del dialogo in un contesto di odio (qualunque ne sia l'origine, politico-ideologica, etnica o religiosa) o agli investigatori in un contesto di omertà, anche lui non ha avuto vita facile. Ogni volta che toccava qualche tasto che non andava toccato, finiva sotto il fuoco o degli avversari o degli amici, a volte sotto il tiro incrociato di entrambi. È accaduto spesso durante i suoi nove anni di indagini. Si è ripetuto quando ha provato a raccontare la sua esperienza alla guida della Commissione stragi in un libro-intervista (*Segreto di Stato*), pubblicato da Einaudi nel 2000. E con ogni probabilità, accadrà anche questa volta, dopo l'uscita della *Guerra civile*.

La storia che racconta Pellegrino, per molti aspetti, è ancora oggi *non conoscibile*. E soprattutto, è una storia ancora in corso. Quella di una transizione infinita che impedisce al sistema della guerra fredda di trasformarsi finalmente in una democrazia dell'alternanza e alle due Italie di diventare una nazione.

Giovanni Fasanella

1
La Volante rossa

Raccontiamo questa "storia rimossa". Partiamo dalla Resistenza: che cosa non si può raccontare?

La Resistenza fu guerra di liberazione ma anche guerra civile, perché gli italiani stavano da una parte e dall'altra. C'erano italiani addirittura nelle truppe speciali naziste, colpevoli degli eccidi più sanguinosi. Ma a loro volta le forze che lottavano contro i nazifascisti erano tutt'altro che omogenee, perché avevano culture, ideali politici e visioni del mondo molto diverse e a volte addirittura contrapposte e inconciliabili tra loro. Nella Resistenza c'era la componente comunista che conviveva con quelle monarchica, liberale, cattolica e azionista. Nel suo libro-intervista con Aldo Cazzullo[1], Edgardo Sogno, un eroe della guerra partigiana, monarchico e liberale, ha descritto molto bene il clima di allora rievocando i suoi rapporti con il compagno d'armi azionista Giaime Pintor. Vale la pena di citare le sue parole: «Considero il mio incontro e la mia separazione da Pintor un evento in qualche modo simbolico [...]. Per Giaime, l'antifascismo coincideva con il superamento del liberalismo crociano e con la fiducia nella violenza rivoluzionaria. Ecco perché le posizioni di allora mi sembrano ancora oggi rappresentative del contrasto tra i due antifascismi, che furono le idee guida della Resistenza italiana ed europea. L'uno, l'antifascismo antitotalitario, si batteva per la riconquista della libertà e della democrazia. L'altro, l'antifascismo rivoluzionario, per una trasformazione violenta dell'ordine sociale. Non potevamo sapere, allora, che quella dicotomia avrebbe segnato tutto il resto del secolo».

Quelle differenze erano anche il riflesso delle contraddizioni profonde all'interno dell'alleanza antinazista: da un lato Roosevelt e Churchill, dall'altro Stalin.

Soprattutto, direi. Non possiamo dimenticare che gli eserciti sovietico, americano e inglese erano alleati contro il nazismo e il militarismo nipponico, ma non lottarono mai insieme; fecero guerre separate. Tant'è che, con il Terzo Reich ancora in piedi, le potenze alleate erano già in conflitto tra loro per la conquista dei territori e delle aree di influenza. Il dramma della Germania negli anni successivi è la testimonianza più visibile di questa logica di conquista: fu divisa in due perché gli anglo-americani l'avevano liberata solo fino a un certo punto, mentre i sovietici, che avevano già occupato la Polonia e tutti gli Stati cuscinetto fra la Germania e la Russia, erano arrivati fino a Berlino. Le divisioni erano tali che Churchill pronunciò la famosa frase: «Forse abbiamo ammazzato il maiale sbagliato».

Dunque, già nella fase finale della guerra c'era il presentimento di quello che sarebbe successo dopo?

Ogni epoca anticipa quella successiva: la faglia della guerra fredda cominciò ad aprirsi mentre Hitler era ancora vivo. Nel campo occidentale c'era già l'idea di recuperare in qualche modo pezzi del sistema nazista e di quello fascista per riutilizzarli in funzione anticomunista. I servizi segreti inglesi, per esempio, salvarono il principe Junio Valerio Borghese, il comandante della X Mas, sottraendolo alla giustizia partigiana. La stessa cosa fecero i servizi segreti americani con molti criminali nazisti, che finirono poi per essere reclutati nella Cia. Da questo punto di vista è davvero illuminante la vicenda del generale Reinhard Gehlen. Era il capo della rete degli agenti nazisti nell'Europa orientale, si arrese agli americani poco prima della fine della guerra e venne inserito, con l'intera sua organizzazione (e con il suo preziosissimo archivio), nei ranghi dell'Oss, il servizio di informazioni Usa prima della Cia. Quindi, Gehlen e i suoi uomini operavano già contro i sovietici, per conto di Washington, quando Stalin faceva ancora parte dell'alleanza antinazista. Operazioni analoghe, ovviamente, le facevano anche i sovietici contro gli anglo-americani. Il problema immediato era quello di sconfiggere il nazismo. Ma in prospettiva, il contrasto tra mondo occidentale e mondo sovietico era nelle cose. Perché troppo diverse erano le concezioni dello Stato, dell'economia, della società che animavano questi due mondi.

Torniamo all'Italia. Come si riproduce, all'interno della Resistenza, la faglia della guerra fredda?

Si creò subito un clima di diffidenza. Gli alleati, per esempio, nei lanci di viveri e di armi privilegiavano i partigiani bianchi rispetto ai rossi. Le diffidenze erano reciproche e a quell'epoca si viveva con il dito sul grilletto. Come dimostrano i fatti sanguinosi di Porzus, in Friuli. Nel febbraio del 1945, a poche settimane dalla fine della guerra, i gappisti comunisti massacrarono brutalmente diciassette partigiani bianchi della brigata Osoppo, tra cui il fratello di Pier Paolo Pasolini, perché si erano opposti alla slovenizzazione del territorio della Venezia, accettata invece dal Pci e dallo stesso Togliatti. Quello è l'episodio che meglio spiega il clima dell'epoca. Ma su tutto questo aspetto della vicenda storica, negli anni successivi calò quasi fatalmente una cortina di silenzio e di omertà.

Lei dunque condivide la chiave di lettura della storiografia di destra, e in particolare dello storico militare Virgilio Ilari, secondo cui tra il 1944 e il 1945 in realtà si combatterono contemporaneamente due guerre civili: quella antifascista e quella anticomunista?

Ilari, che è stato uno dei consulenti della Commissione stragi, ci ha aiutato a vedere le cose anche da altri punti di vista. Sì, ha assolutamente ragione. L'intera fase finale della Guerra di liberazione si combatté anche su un altro terreno: quello della manovra per impedire che l'insurrezione generale contro il fascismo si trasformasse nella guerra rivoluzionaria per il comunismo. Era talmente forte questa preoccupazione, che il comandante delle truppe alleate in Italia, generale Alexander, alla fine del 1944, invitò le formazioni partigiane a sospendere le azioni «organizzate su larga scala». Temeva che si verificasse quello che poi accadde in Grecia, dove i comunisti, subito dopo la guerra, insorsero contro gli inglesi. Fu un bagno di sangue. Da noi non accadde perché, su suggerimento di Sogno, gli anglo-americani affidarono il comando militare della Resistenza a un moderato, il generale Raffaele Cadorna. I suoi uomini non si lasciarono sorprendere e il 25 aprile si fecero trovare nei posti chiave, anticipando sul tempo i capi comunisti. Luigi Longo ebbe quasi un colpo quando entrò nella sede del Comando a Milano e vi trovò, già insediato, il colonnello Faldella: lo stesso militare che il capo comunista si era ritrovato di fronte in Spagna, durante la guerra civile, ma sul versante opposto al suo, dalla parte di Franco.

Le preoccupazioni degli alleati non erano del tutto infondate, alla luce di quello che poi accadde in Grecia, ma anche in Italia, con le vendette partigiane nel "triangolo della morte"[2] emiliano.

Anche su quelle cala il silenzio. Ma tutte le guerre civili hanno una differenza rispetto alle guerre dichiarate. Le guerre dichiarate finiscono un giorno con l'armistizio e i soldati dei due eserciti non vedono l'ora di riconsegnare le armi ai loro capi e di tornarsene a casa. Le guerre civili non sono mai così, non c'è mai un armistizio, una pace dichiarata finale, hanno sempre strascichi sanguinosi. Dopo la Guerra di secessione americana, Lincoln porge immediatamente la mano al nemico sconfitto, ma bande guerrigliere sudiste restano a lungo in azione e uccidono per molti anni ancora. Allo stesso modo, nel "triangolo della morte" la componente comunista della Resistenza regola una serie di conti.

Tuttavia, questo è un capitolo abbastanza controverso, su cui non si è ancora riusciti a far luce fino in fondo. Che cosa si può dire, con certezza?

È certo che una componente della Resistenza comunista, quella che aveva in Pietro Secchia il proprio punto di riferimento, aveva concepito la guerra contro il nazifascismo solo come una tappa di un processo rivoluzionario che doveva proseguire. Quella era la parte insurrezionalista e stalinista del Pci, minoritaria nel gruppo dirigente ma con una certa influenza sulla base, che avversava la politica pacificatrice di Palmiro Togliatti e che, dopo il 25 aprile, regolò una serie di conti all'interno di una logica rivoluzionaria.

Proprio da qui parte una storia inquietante e per molti versi ancora da decifrare: quella della Volante rossa.

Una storia inquietante, dice bene. E quando riusciremo a ricostruirla nella sua interezza capiremo molto di più anche il fenomeno delle Brigate rosse. Sono infatti sempre più convinto, come lo era Enrico Berlinguer, che un filo leghi la Volante rossa al terrorismo di sinistra degli anni Settanta. Non è solo il filo delle radici ideologiche del fenomeno brigatista, ma anche quello delle strumentalizzazioni che ne fecero gli anticomunisti.

Proviamo a raccontarla, allora, questa storia. Innanzitutto, che cos'era la Volante rossa?

Durante la Resistenza, le volanti erano piccole squadre di partigiani, molto mobili appunto, che scendevano dalle montagne per compiere azioni rapide e sabotaggi. Subito dopo la guerra, nell'estate del 1945, alcuni partigiani che avevano combattuto in Valsesia fondarono un'organizzazione, la Volante rossa-Martiri partigiani, con lo scopo di mantenere vivi gli ideali "rivoluzionari" della Resistenza. Erano una sessantina, quasi tutti iscritti al Pci, organizzati in una formazione paramilitare, con al loro interno un gruppo ristretto clandestino. Si consideravano una sorta di "guardia armata della rivoluzione" e avevano stabilito la loro sede in una casa del popolo di Lambrate, alle porte di Milano. Ma ben presto l'organizzazione si ramificò in quasi tutta l'Italia settentrionale e centrale. Aveva solide basi non solo a Milano, ma anche a Torino, nel "triangolo della morte" emiliano e a Roma.

I promotori della Volante rossa erano ex partigiani della Valsesia, in Piemonte. È un caso, visto che quella era zona di fedelissimi di Pietro Secchia, come Francesco Moranino?

No, non fu un caso: gli uomini della Volante erano legati a Secchia. La Valsesia è uno dei buchi neri della storia comunista del dopoguerra, per i rapporti che i gruppi partigiani di quella zona ebbero prima con la Volante e molti anni dopo con le Brigate rosse.

Parliamo dei conti che regolarono subito dopo la guerra?

Ci furono vendette efferate, operazioni di giustizia sommaria: omicidi politici e sequestri di persona con "processi" e condanne a morte. Erano veri e propri atti di terrorismo a guerra ormai conclusa. Ma bisogna capire qual era il clima negli anni immediatamente dopo il 25 aprile. I fascisti, amnistiati, tornavano a casa, nei loro paesi e nelle loro città, dov'era ancora vivo il ricordo delle loro prepotenze e dei loro soprusi. Si trattava spesso di elementi dell'esercito repubblichino, torturatori che avevano infierito sui prigionieri, responsabili di deportazioni e di eccidi nei confronti di civili, anche donne e bambini. Non solo tornavano a circolare liberamente, ma molti di loro venivano addirittura reintegrati negli apparati dello Stato in sostituzione dei quadri che erano stati nominati dal Cln (Comitato di liberazione nazionale). Questa è la verità. Gli antifascisti venivano espulsi dall'arma dei carabinieri, dalla polizia, dall'esercito, dalla magistratura e dalle prefetture, dagli uffici e dalle aziende. E al loro posto venivano piazzati uomini che avevano fatto carriera durante il ventennio e che durante la Repubblica sociale avevano commesso crimini. Gli uomini che avevano combattuto dalla parte sbagliata e avevano perso, venivano di fatto premiati. Chi invece aveva lottato per la libertà, rischiando la propria vita, veniva punito con il licenziamento e l'emarginazione. Agli occhi di molti partigiani era un'ingiustizia inaccettabile.

E non lo era?

Lo era. Ma dobbiamo guardare le cose anche da un altro punto di vista. Se l'Italia fosse stato un Paese "normale", gli ex partigiani avrebbero riempito i ranghi dell'esercito, dei carabinieri, della polizia, della magistratura, della burocrazia statale. Avrebbero formato l'ossatura della neonata democrazia, il supporto democratico della classe dirigente della Repubblica. Ma il nostro, un Paese normale non lo era. Perché, liberato dagli anglo-americani, nella spartizione del mondo in aree di influenza, durante la conferenza di Yalta, era stato assegnato al blocco occidentale. Aveva però al suo interno uno dei più forti partiti comunisti d'Europa. Un partito che si era forgiato militarmente durante la Resistenza, di cui era stata la componente di gran lunga più forte e combattiva. Proviamo allora a metterci nei panni degli anglo-americani, alle prese con il seguente dilemma: quanto tempo l'Italia sarebbe rimasta nel campo del mondo libero, con esercito, magistratura, carabinieri, polizia, servizi segreti, uffici governativi e diplomazia controllati dai comunisti? I partiti democratici anticomunisti non avevano quadri sufficienti per far fronte nell'immediato alle necessità. Perciò dovettero integrare ricorrendo ai funzionari fascisti e repubblichini. Che, oltre ad essere degli irriducibili anticomunisti, erano anche più esperti e preparati.

Lei pensa che il Pci di allora costituisse davvero un pericolo per la neonata Repubblica democratica? Ne era il leader un uomo come Palmiro Togliatti, che aveva dato prova di mode-

razione già durante la guerra, con la "svolta di Salerno"[3]. *A volte erano più sagge le sue posizioni che non quelle di certi esponenti socialisti o azionisti.*

È vero quello che lei dice. Ovviamente io penso che Togliatti non costituisse un pericolo, anzi. Ho ricordato che fu lui, da ministro della Giustizia, a iniziare il processo di pacificazione. Quando poi quel processo venne interrotto dalla guerra fredda, Togliatti ebbe un merito ancora più grande. Non voglio dire che, avendo conosciuto gli errori e gli orrori del sistema sovietico, preferisse vivere in una democrazia parlamentare dell'Occidente. Forse sarebbe un'esagerazione, però realisticamente si rese conto che in Italia non si poteva fare la rivoluzione dei Soviet. Era alla testa di masse affamate nel Sud del Paese e di partigiani ancora armati nel Centro-Nord: la sua abilità fu di porre su uno sfondo lontano la palingenesi, la rivoluzione, il socialismo, educando nel frattempo quelle masse alle regole della democrazia parlamentare. Questo fu indubbiamente un suo grande merito storico. Il problema però è che, ancora una volta, bisogna vedere le cose anche dal punto di vista degli avversari, gli anglo-americani e i partiti anticomunisti.

E a loro come appariva il Pci di Togliatti?

Non si fidavano di Togliatti, che da esule aveva vissuto a Mosca ed era stato un dirigente del movimento comunista internazionale. Non si fidavano del Pci, che consideravano una sorta di quinta colonna sovietica in Italia, con un apparato paramilitare semiclandestino in grado di scatenare l'insurrezione popolare. Ed erano ancora più preoccupati del fatto che quell'apparato fosse controllato direttamente dai secchiani, la componente insurrezionalista contraria alla via parlamentare al socialismo scelta da Togliatti. Come ho già detto, gli uomini di Secchia erano quei partigiani che, finita la guerra, non consegnarono le armi, ma le nascosero per riutilizzarle non appena fosse scattata l'ora x.

Che informazioni avevano, i servizi segreti alleati, sui piani e sulla consistenza dell'apparato paramilitare del Pci?

Avevano una percezione chiara del pericolo, anche se probabilmente tendevano a esagerarlo. Secondo una descrizione che ci ha dato Cossiga, il Pci aveva una struttura interna su tre livelli. Al primo livello, c'era un'«amministrazione speciale», che si occupava con ogni probabilità della gestione dei fondi sovietici. Poi, a un secondo livello, più occulto, c'era la struttura paramilitare. E al terzo livello, ancora più occulto, una struttura organizzata direttamente dalla sezione esteri del Pcus, con l'aiuto del Kgb[4].

E che cos'era, secondo lei, la struttura del terzo livello?

Con ogni probabilità, era la rete del Kgb all'interno del Pci. E poteva avere, da un lato, funzioni di intelligence interno ed esterno al partito; dall'altro, un compito di direzione dell'apparato paramilitare. Quanto alla consistenza e ai piani d'azione, esistono in proposito alcuni rapporti redatti tra il 1947 e il 1948 dal console americano a Milano, Charles Bay, per l'ambasciatore James Dunn. In una prima informativa, la consistenza dell'"esercito" comunista viene stimata intorno alle cento-centotrentamila persone, «di cui circa un terzo equipaggiate con armi da fuoco automatiche efficaci». In un successivo rapporto, il console indica i tre scenari in cui «l'organizzazione militare-politica del partito» sarebbe potuta entrare in azione: nel caso in cui il Pci «si fosse trovato di fronte alla necessità di prendere il potere con la forza»; oppure in caso di «resistenza armata contro l'instaurazione di un regime antidemocratico»; oppure di fronte alla necessità di «ricorrere immediatamente ai metodi di lotta clandestini e terroristici». Sempre secondo il console Bay, l'apparato paramilitare comunista disponeva di numerosi mezzi di locomozione, depositi di cibo e mezzi di comunicazione. E aveva cellule nelle forze dell'ordine e persino nella compagnia telefonica, per l'intercettazione delle comunicazioni delle autorità civili e militari. E aveva un preciso piano insurrezionale.

Che cosa prevedeva?

L'insurrezione sarebbe scattata simultaneamente nelle città del triangolo industriale, Torino, Genova e Milano. E sarebbe stata preceduta da un piano d'azione che prevedeva innanzitutto una serie di agitazioni, le quali sarebbero sfociate in uno sciopero generale con paralisi di tutti i servizi pubblici. Lungo la linea Gotica, poi, sarebbe stato creato un fronte per impedire l'afflusso di forze armate dal Centro-Sud. E contemporaneamente, sarebbe stata eliminata fisicamente una serie di personaggi i cui nomi erano indicati in «liste speciali».

L'apparato del Pci era sotto la supervisione di Pietro Secchia e dei suoi partigiani, gli uomini più fedeli all'ortodossia moscovita. È davvero pensabile che, oltre agli scopi descritti dal console americano, quella struttura potesse avere anche un'altra funzione, che servisse cioè anche come strumento di controllo del gruppo dirigente comunista da parte del Kgb?

Sì, era anche lo strumento attraverso il quale Mosca faceva sentire il fiato sul collo alla dirigenza togliattiana, di cui non si fidava. Ci sono due momenti importanti per capire la politica sovietica verso il Pci e verso l'Italia. Il primo fu la svolta titina, tra il 1947 e il 1948, quando la Jugoslavia accettò gli aiuti del piano Marshall, affrancandosi dall'ipoteca sovietica e staliniana. La terza via neutralista di Tito finì per creare una sorta di cuscinetto tra l'Italia e il blocco sovietico, allontanando i confini italiani dal Patto di Varsavia. L'altro fu il fallimento dell'insurrezione comunista in Grecia. Da quel momento, realisticamente, l'Urss valutò che una rivoluzione in Italia non era possibile, ma al tempo stesso cominciò a temere la svolta parlamentare del Pci, la via italiana al socialismo. Dopo il precedente di Tito, l'Urss era ossessionata dal timore di una deriva neutralista del Pci e di un suo lento scivolamento su posizioni socialdemocratiche. Sul gruppo dirigente togliattiano cominciarono a piovere le accuse secchiane di «cretinismo parlamentare». Secchia e i suoi uomini erano uno strumento per frenare la svolta del Pci e tenere il partito sotto controllo.

Una figura chiave, da questo punto di vista, è Francesco Moranino...

Assolutamente. Personaggio importante per capire, come vedremo in seguito, anche la vicenda delle Brigate rosse.

Intanto, che cosa si può dire di preciso sui suoi rapporti con Secchia e con i servizi segreti dell'Est?

Era uno degli uomini più fidati di Secchia. Fino a che punto, lo si intuisce da un episodio raccontato da Miriam Mafai nella sua biografia del dirigente comunista[5]. Nel 1947 Secchia propone di includere come sottosegretari, nel governo con i comunisti, i due capi partigiani della Valsesia, Cino Moscatelli e Moranino. De Gasperi non è d'accordo e chiede al Pci altri due nomi. Di fronte ai tentennamenti di Togliatti, Secchia batte i pugni sul tavolo, e Moscatelli e Moranino entrano nel governo, quest'ultimo alla Difesa. Già di per sé quest'episodio spiega molte cose. Più tardi, accusato di sette omicidi (cinque partigiani e le mogli di due di loro) commessi subito dopo la guerra, Moranino venne processato e condannato all'ergastolo. Il Partito lo fece fuggire a Praga, dove diresse una scuola quadri in coppia con il capo dei servizi segreti cecoslovacchi. Sulla base di documenti scoperti dopo la caduta del Muro, quella era una scuola di sabotaggio e di guerriglia, nonché di propaganda e di azione sovversiva, frequentata da molti comunisti italiani dell'apparato paramilitare.

Più o meno nello stesso periodo di Moranino, a Praga viveva un altro italiano, che con ogni probabilità frequentava la stessa scuola: Roberto Dotti. Le dice niente questo nome?

Per quel poco che se ne sa, è sicuramente un personaggio dalla biografia e dai legami sorprendenti. Ex partigiano comunista, poi componente della Volante rossa e dirigente dell'ufficio quadri del Pci piemontese. Sospettato dell'assassinio del direttore della Fiat Erio Codecà, fuggì a Praga. Quando rientrò in Italia, fu reclutato da Edgardo Sogno nel suo movimento anticomunista Pace e Libertà[6], al posto di Luigi Cavallo, un ex comunista dalla biografia in parte simile a quella di Dotti. Ma di figure ambigue, o se si preferisce doppie, come quelle di Dotti e Cavallo, ne circolavano molte intorno alla Volante rossa e all'apparato paramilitare del Pci. Stando ad alcune informative del Sifar, il servizio segreto militare italiano dell'epoca, alcune di quelle figure erano ex repubblichini.

Ex repubblichini convertiti all'idea comunista o infiltrati?

Gli uni e gli altri, ovviamente. Nel secondo caso, però, è sempre difficile stabilire dove finiva il legittimo (e in quel contesto anche doveroso) lavoro di intelligence, e dove invece cominciava quello di agente provocatore.

2
Atlantici d'Italia

Subito dopo la guerra, dunque, cambia radicalmente il quadro internazionale: si rompe l'alleanza antinazista e sul mondo disegnato a Yalta cala la cortina di ferro. L'Italia è nella zona d'influenza anglo-americana. Ma tra le forze che hanno contribuito alla sconfitta del regime fascista e alla nascita della Repubblica, c'è uno dei partiti comunisti più forti dell'Occidente: un partito che ha firmato la Costituzione democratica, ma che al tempo stesso mantiene solidi legami con l'Urss e dispone di un apparato paramilitare semiclandestino potenzialmente in grado di scatenare un'insurrezione...

Per completare il quadro bisognerebbe anche dire che, per fortuna, il Pci aveva un gruppo dirigente avveduto che tentava di seguire una propria via, democratica e nazionale, al socialismo.

Un gruppo dirigente, però, come lei stesso ha appena detto, di cui gli anglo-americani e gli altri partiti italiani non si fidano...

Certamente.

L'organizzazione paramilitare del Pci, come abbiamo visto, era controllata da elementi filosovietici, che erano in grado di condizionare il gruppo dirigente togliattiano...

Ed esercitavano anche un fascino fortissimo sulla base comunista. A prescindere dalle reali intenzioni di Togliatti, come ho detto prima, il problema era che l'Urss poteva controllare il partito... Insomma, i dati con cui gli avversari del

Pci dovevano fare i conti erano, da un lato, le intenzioni soggettive degli insurrezionalisti secchiani e, dall'altro, il pericolo potenziale insito nel limitato grado di autonomia del partito da Mosca.

Ecco, allora: come si organizza l'anticomunismo di fronte a questo rischio potenziale?

Richiamando in servizio uomini compromessi con il nazifascismo. In molti casi erano criminali di guerra, ufficiali tedeschi o dell'esercito repubblichino responsabili anche di massacri di donne, vecchi e bambini. E poi riorganizzando le formazioni dei partigiani bianchi in un vero e proprio esercito clandestino, che affiancava quello regolare e gli altri apparati dello Stato. Così come, sull'altro versante, la storia della Volante rossa può aiutare a comprendere la genesi del terrorismo di sinistra, l'intreccio di relazioni tra nazifascisti e partigiani bianchi è la chiave per decifrare la strategia della tensione e lo stragismo.

Come si riorganizza l'esercito clandestino anticomunista?

Grazie all'indagine della Commissione stragi e in particolare al lavoro di bravi consulenti come Virgilio Ilari, Giuseppe De Lutiis, Aldo Giannuli e Gerardo Padulo, oggi abbiamo un quadro abbastanza preciso di quello che accadde. Sono diversi i fili da seguire, ma conducono tutti allo stesso punto: l'organizzazione di una rete clandestina in funzione anticomunista, di cui facevano parte civili e militari, alle dipendenze dei ministeri dell'Interno e della Difesa e collegata ai servizi segreti anglo-americani.

La rete di Stay Behind[1]*, Gladio?*

In seguito, verso la metà degli anni Cinquanta, gran parte di quella rete venne assorbita da Stay Behind e posta sotto il diretto controllo Nato. Ma alcune organizzazioni continuarono ad agire "privatamente" negli anni successivi.

Dunque, dopo la guerra nemmeno i partigiani bianchi consegnarono le armi?

Dopo la caduta del Muro, quand'era presidente della Repubblica, Cossiga ha rivelato che il 18 aprile 1948, temendo un colpo di mano comunista, i militanti democristiani presidiavano armati le sezioni del loro partito, pronti a intervenire in caso di necessità. Ufficialmente il disarmo delle formazioni partigiane cominciò nel 1945. In realtà, sia i rossi che i bianchi si riorganizzarono. Da questo punto di vista è emblematica la storia della Osoppo, l'organizzazione partigiana anticomunista che operava nel Friuli.

Come lei ha ricordato, della Osoppo facevano parte i diciassette partigiani massacrati a Porzus dai comunisti, perché contrari alla slovenizzazione del Friuli.

Sì, appartenevano a quella organizzazione. Data la zona geografica in cui operava, la Osoppo aveva sin dalla Resistenza una sua precisa connotazione, che la faceva entrare in conflitto con i partigiani comunisti legati alla Jugoslavia: la difesa dell'italianità. Ufficialmente la Osoppo venne sciolta poche settimane dopo il 25 aprile, nel maggio del 1945, ma venne ricostituita otto mesi dopo, nel gennaio 1946. In base ai documenti che abbiamo potuto visionare negli archivi dell'arcivescovado di Udine, raggiunse ben presto la cifra di seimila uomini. Non abbiamo mai trovato gli elenchi con i loro nomi, ma sappiamo con certezza che nel 1949 l'organizzazione passò sotto il controllo della presidenza del Consiglio e l'anno dopo venne trasformata definitivamente in un'organizzazione segreta. Nel 1956 confluì nella rete della Gladio.

Esistevano altre strutture analoghe alla Osoppo?

Abbiamo trovato tracce di altre organizzazioni come la Osoppo. Per esempio una che si chiamava Giglio e un'altra Fratelli d'Italia, legata ai servizi segreti britannici. Ma non abbiamo altre informazioni.

Quindi il governo aveva organizzato un esercito parallelo clandestino.

È così, e ce lo dice lo stesso Mario Scelba, presidente del Consiglio e ministro dell'Interno proprio in quegli anni. Confidandosi in un'epoca molto più recente con il giornalista Antonio Gambino, ha rivelato che «già nei primi mesi del 1948 era stata messa a punto una struttura capace di far fronte a tentativi insurrezionali comunisti, e l'intero Paese era stato diviso in una serie di circoscrizioni». Il compito di allestire quella struttura era stato affidato all'ambasciatore Edgardo Sogno. Lo sappiamo dallo stesso Sogno, attraverso una sua lettera riservata inviata nel 1969 all'allora ministro degli Esteri Aldo Moro. Sollecitando riconoscimenti professionali in virtù dei delicati servizi da lui resi allo Stato, scrive che all'inizio degli anni Cinquanta Scelba gli aveva assegnato un compito che «avrebbe comportato il distaccamento presso il ministero dell'Interno». Allude a una struttura riservata che avrebbe raggiunto il massimo della segretezza intorno al 1956.

Era la struttura degli Atlantici d'Italia, come ha rivelato lo stesso Sogno nel libro-intervista pubblicato nel 2000, poco dopo la sua morte.

Sì, la rete che organizzò con gli uomini della «cellula anticomunista» dello Stato, secondo la sua stessa definizione. Di quella cellula faceva parte il prefetto Carmelo Marzano, dell'ufficio Affari riservati del ministero dell'Interno, che Scelba aveva appena affidato a due ex funzionari dell'Ovra fascista, Gesualdo Barletta e Rotondano. Con Marzano c'era anche il colonnello Renzo Rocca, per il ministero della Difesa: era uno dei reclutatori di Gladio, come avremmo scoperto parecchi anni dopo la sua misteriosa morte. Sogno, Marzano e Rocca. Un trio a cui si aggiunse un personaggio ancora più importante per i suoi legami internazionali, soprattutto con gli anglo-americani e i francesi: il diplomatico Franco Malfatti, la cui personale vicenda attraversa buona parte dei fatti di cui ci stiamo occupando.

Dunque: gli Atlantici d'Italia erano l'esercito segreto anticomunista dello Stato, che venne allestito con l'apporto delle formazioni partigiane bianche e di uomini delle vecchie strutture fasciste e che, nel 1956, confluì nella Gladio...

Mi dispiace per quegli storici e per quegli opinionisti impegnati a contrastare la teoria del "doppio Stato", ma le cose stanno proprio così.

Ed era un esercito composto sostanzialmente da civili?

Sì, soprattutto volontari civili. La struttura, come abbiamo visto, cominciò a formarsi subito dopo la fine della guerra. Nel 1950 il governo tentò in qualche modo di formalizzarla, attraverso un disegno di legge per l'istituzione di una Difesa civile, da impiegare ufficialmente in casi di calamità naturali come terremoti e alluvioni, in realtà concepita per fronteggiare un'eventuale invasione sovietica o un'insurrezione comunista.

L'uso per fini di politica interna di quella struttura è però un punto controverso.

Sì, c'è chi ancora oggi nega l'esistenza di uno scenario del genere. A me pare invece che abbiamo materiale sufficiente per poter dire, senza tema di smentite, che non solo esisteva un esercito segreto anticomunista dello Stato, ma che quell'esercito di civili era stato organizzato anche per un uso interno, per neutralizzare o prevenire eventuali colpi di mano del Pci. Il progetto di Difesa civile arrivò in Parlamento nell'estate 1950, poche settimane dopo l'invasione comunista della Corea del Sud. In quegli stessi giorni, Alcide De Gasperi pronunciò un famoso discorso a Varallo Sesia, in Piemonte, in cui denunciò il pericolo di una «quinta colonna» comunista che agiva in Italia al servizio dell'Unione sovietica. E la Federazione italiana volontari della libertà, l'organizzazione dei partigiani bianchi, tenne un convegno sullo stesso tema. Particolarmente interessante fu l'intervento di uno dei dirigenti della Fivl, Enrico Mattei, il presidente dell'Eni: contro i cosiddetti partigiani della pace ispirati da Mosca, arringò i suoi uomini: «noi dobbiamo proclamarci partigiani della difesa civile».

Qual era in concreto il compito dei partigiani della difesa civile?

Secondo un decalogo dettato da Mattei in quello stesso convegno, dovevano «sorvegliare nelle fabbriche ogni nucleo promotore della disobbedienza [...] delle minacce contro l'efficienza e la produttività [...] e ostacolare la scalata comunista ai posti e alle posizioni di comando e di responsabilità».

Dunque la loro era innanzitutto una funzione di intelligence?

In un certo senso. Dovevano tenere il Pci sotto controllo per prevenire ogni sua possibile mossa.

Tuttavia, la legge sulla Difesa civile non venne mai approvata dal Parlamento. E il fatto curioso è che tra gli oppositori non c'erano solo le sinistre, ma persino uomini di provata fede atlantica. Anzi, furono proprio loro i più strenui avversari di quel progetto. Come si spiega una simile incongruenza?

Io penso che la ragione fosse che gli anglo-americani non volevano lasciare agli uomini della Dc la gestione esclusiva dell'anticomunismo di Stato. Non si fidavano fino in fondo di loro e del loro atlantismo tutto sommato all'acqua di rose. Così come i sovietici non si fidavano della dirigenza togliattiana del Pci, gli anglo-americani non si fidavano del gruppo dirigente democristiano, sospettato a volte di cedevolezza nei confronti dei comunisti e di una innata tendenza all'accordo sotto banco con l'avversario. Non dobbiamo mai dimenticare che all'ambasciatrice americana Claire Boothe Luce, che voleva mettere fuori legge il Pci, Scelba, il più anticomunista dei democristiani, rispose a muso duro: «Noi siamo una democrazia, non un Paese sudamericano. Certe cose le potete chiedere a loro, non a noi».

Che cosa accadde alla rete degli Atlantici d'Italia dopo la bocciatura del progetto di Difesa civile?

Come ho già anticipato, la rete venne assorbita nel progetto Stay Behind, alle dirette dipendenze del comando Nato e dunque sotto il controllo stretto degli anglo-americani. I quali affiancarono alla rete anticomunista clandestina quella palese del Congresso per la libertà della cultura, lo strumento per la propaganda e per la guerra psicologica contro il comunismo.

È possibile che, così come i sovietici condizionavano il gruppo dirigente togliattiano attraverso l'apparato paramilitare del Pci, gli anglo-americani esercitassero lo stesso tipo di controllo sulla Dc attraverso Gladio?

Sì, è del tutto plausibile. Gli anglo-americani avevano un rapporto privilegiato con l'ambiente laico e azionista, con tutte le sue articolazioni, dalla componente conservatrice liberale, a quella progressista socialdemocratica e persino socialista. Tra i due mondi, oltre alle intense relazioni intrecciate durante la guerra attraverso i servizi di informazione, c'era un'affinità culturale basata su una comune visione cosmopolita, diciamo così, che sfociava in tendenze mondialistiche. Questo era il retroterra del Congresso per la libertà della cultura, che affiancava e forse stava anche sopra Gladio.

Un esercito clandestino affiancato da una rete di uomini di cultura e diretto da un "cervello" politico-intellettuale fedele agli anglo-americani?

Qualcosa del genere. La presenza del mondo intellettuale era giustificata anche dalla natura della guerra fredda: una guerra combattuta soprattutto sul terreno della propaganda e delle idee. Quindi non bastava avere un forte esercito schierato sul campo, pronto a intervenire in caso di necessità. Occorreva anche conquistare l'egemonia culturale attraverso il controllo dei mezzi di comunicazione di massa.

Lei ha detto prima che alcune organizzazioni partigiane bianche rimasero in vita anche dopo la nascita di Gladio, e che alcune continuarono ad agire come associazioni "private". Quali?

Per esempio Pace e Libertà. Edgardo Sogno, che ne era il capo, nella sua intervista postuma ci ha raccontato molte cose. Ma la storia di quel movimento non è ancora del tutto chiara.

Che cosa c'è ancora da sapere?

La dimensione internazionale del movimento e i suoi campi d'azione sono due aspetti che non si conoscono ancora a fondo.

Può provare a ricostruirla lei, per quanto possibile, la storia di Pace e Libertà?

Pace e Libertà era la sigla sotto la quale, con i fondi del piano Marshall, il governo italiano cominciò a organizzare la rete dell'anticomunismo di Stato, nel 1947. Tre anni dopo, su iniziativa del governo francese, guidato da un ex partigiano gollista, René Pleven, venne fondata a Parigi Paix et Liberté, un'organizzazione per la difesa militare e civile dal pericolo comunista. Su spinta francese, l'organizzazione si ramificò in Germania, in Belgio, in Italia, dove il terreno era già stato preparato da Sogno, e in altri Paesi europei.

Una specie di internazionale anticomunista, dunque, con una sezione italiana?

Sì, un'internazionale legata alla Francia e con sede a Parigi. Ma nel 1952, il movimento compie un salto di qualità. Oggi conosciamo nuovi dettagli grazie a un libro tradotto recentemente in Italia, *La guerra fredda culturale*, della giornalista e storica inglese Frances Stonor Saunders[2]. Ne accennavo poco fa, per contrastare l'influenza comunista sulla cultura dell'Europa occidentale, la Cia varò un programma segreto di propaganda e guerra psicologica (Packet, il nome in codice). Nel 1952, Paix et Liberté entrò a far parte di quel programma. E dopo la nascita di Stay Behind, il movimento continuò a operare con il proprio nome: in stretto rapporto con Gladio, ma mantenendo un certo margine di autonomia.

Che cosa giustificava l'esistenza di un'organizzazione "privata" come Pace e Libertà, dal momento che già operava una rete controllata dalla Nato, Gladio?

La natura particolarmente delicata delle operazioni affidate al movimento: operazioni di "guerra non ortodossa" gestibili soltanto privatamente. È l'unica spiegazione sensata che riesco a trovare.

Che genere di operazioni?

Per tornare al caso italiano, se esaminiamo con attenzione gli ultimi 150 anni della nostra storia, possiamo rintracciare un filo rosso che attraversa gran parte degli avvenimenti più importanti: l'esistenza di organizzazioni clandestine private che hanno agito a fianco o per conto delle strutture ufficiali. Organizzazioni di questo tipo collegate con la polizia segreta di Cavour, per esempio, vennero utilizzate prima per sovvertire gli Stati preunitari e poi per truccare i plebisciti per le annessioni allo Stato piemontese. In seguito, il governo italiano si è servito di reti private per operazioni di destabilizzazione all'estero, in particolare nei confronti dell'impero etiopico, del regno serbo-croato-sloveno e poi della repubblica jugoslava. Non escludo che qualcosa del genere sia avvenuto in tempi più recenti anche in Paesi mediterranei come Tunisia e Libia, dove i colpi di Stato hanno portato al potere uomini filoitaliani. Durante la guerra fredda, movimenti come Pace e Libertà fecero operazioni di guerra non ortodossa contro i comunisti, a volte con l'avallo diretto del governo, altre con il suo tacito accordo, in qualche caso in modo del tutto autonomo e, da un certo momento in poi, persino contro il governo.

In che cosa consistevano le operazioni di guerra non ortodossa contro i comunisti?

Operazioni che andavano dalla propaganda anticomunista (anche con la fabbricazione di dossier contro singoli esponenti del Pci), fino alla progettazione di tentativi di golpe. Ma come dicevo prima, il campo delle attività di quel movimento è ancora da indagare a fondo. E sono convinto che se scaviamo nelle biografie di alcuni dei personaggi che affiancarono Sogno, si aprirebbero scenari molto interessanti. Prendiamo Luigi Cavallo, collaboratore di Sogno per un lungo periodo. Arrivava dal Pci, ne era stato il responsabile dell'ufficio quadri a Torino e poi lavorò come giornalista all'«Unità»...

Sogno diceva che per combattere i comunisti non c'erano armi più efficaci degli ex comunisti, perché conoscevano il partito dall'interno.

Verissimo. Ma il dato biografico di Cavallo che mi colpisce di più è che era stato un gappista di Stella rossa, l'organizzazione più dura della Resistenza comunista. Molti della Stella rossa, dopo la guerra, li ritroviamo fra i secchiani ostili alla politica togliattiana.

Per molti aspetti, Cavallo ha caratteristiche simili a quelle di Roberto Dotti, della Volante rossa...

Già, è curioso. Ma quella di Dotti è una biografia ancora più interessante. Anche lui, dopo la guerra dirige l'ufficio quadri del Pci torinese. Poi, nel 1952, come ho detto, la polizia lo sospetta di aver assassinato con alcuni suoi compagni il direttore della Fiat Erio Codecà. Alcuni elementi della Volante rossa avevano atteso il dirigente sotto casa e gli avevano sparato: un atto terroristico compiuto con l'obiettivo di provocare una reazione della borghesia e mettere in crisi la politica moderata del gruppo togliattiano. Come tanti altri della Volante rossa sospettati di aver compiuto omicidi politici, Dotti fugge in Cecoslovacchia, dove ha rapporti con i servizi segreti di quel Paese. E chi lo ha aiutato a fuggire a Praga? Piero Rachetto, un ex partigiano socialista dirigente torinese di Pace e Libertà...

E questo dovrebbe significare qualcosa, secondo lei?

Significa esattamente che un elemento della Volante rossa, sospettato di aver ucciso un dirigente della Fiat in un agguato tesogli sotto casa, era in contatto con un esponente di Pace e Libertà. Quando poi Dotti rientra in Italia, Rachetto lo presenta a Sogno, il quale lo chiama subito al suo fianco, per sostituire Cavallo, e gli trova anche un posto a Comunità, il movimento di Adriano Olivetti che faceva parte della rete del Congresso per la libertà della cultura...

Sogno sostituisce Cavallo con un uomo con le sue stesse caratteristiche. Anche questo dovrebbe significare qualcosa?

Mi domando: un caso o le caratteristiche degli uomini dovevano garantire la continuità dell'azione?

Domanda superflua, perché una risposta convincente l'ha già data Sogno: per un'attività di intelligence verso il Pci, gli ex comunisti funzionavano meglio.

Sì, la risposta è convincente. Ma non è la risposta alla mia domanda. Perché la mia domanda riguarda il periodo precedente, quello della militanza di Cavallo e Dotti in Stella rossa e nella Volante rossa.

E quale sarebbe la sua domanda?

Cavallo e Dotti erano doppiogiochisti già allora? La domanda non è dietrologica, perché si basa su dati storici ormai acquisiti: durante la guerra, alcuni gruppi partigiani vennero infiltrati non solo dai servizi segreti anglo-americano e sovietico, a seconda del colore politico, ma anche da elementi repubblichini. Nel primo caso, per controllare alleati che avrebbero potuto trasformarsi in nemici dopo la guerra. I repubblichini, invece, per compiere operazioni di sabotaggio dietro le linee e per indurre i gruppi partigiani a compiere azioni particolarmente efferate, allo scopo di infangarne l'immagine. Questa era guerra psicologica, arte in cui i servizi segreti nazisti e repubblichini erano maestri, tanto da insegnarla ai servizi segreti del dopoguerra. Ecco, allora: la risposta a quella domanda può aiutarci a capire molte delle vicende della guerra fredda, compresa quella più recente del terrorismo.

Lei ce l'ha una risposta?

No, non ce l'ho. Però mi viene in mente una frase pronunciata da un importante personaggio della Dc, un uomo che è stato presidente del Consiglio e più volte ministro. Durante una discussione privata gli chiesero che cosa pensasse del terrorismo rosso. E lui rispose: «La storia del terrorismo rosso è per metà rivoluzionaria e per metà cospirativa». Penso che questa risposta si possa applicare anche alle vicende italiane della guerra fredda: per combattere il comunismo, l'anticomunismo a volte ne ha anche utilizzato le degenerazioni.

3
Il compromesso democratico

L'Italia del dopoguerra, come appare dalla sua ricostruzione, è sempre sull'orlo di uno scontro sanguinoso. Però, tutto sommato, il Paese regge, il tessuto democratico non cede e noi cresciamo fino a diventare la settima-ottava potenza industriale del mondo. Dato il punto di partenza, direi che questo è il vero, grande miracolo italiano: che cos'è che lo rende possibile?

La qualità della classe politica del dopoguerra. Il Pci, estromesso dal governo nel 1947 e sconfitto nelle elezioni del 1948, non cede alla tentazione del colpo di mano, nonostante la pressione della base e di una parte del suo gruppo dirigente. Non dimentichiamo che nel luglio del 1948, subito dopo la notizia dell'attentato a Togliatti, mezza Italia era nelle mani dei comunisti, che avevano occupato in armi le fabbriche e gli uffici pubblici nel Centro-Nord, ed erano pronti a insorgere. La situazione non degenerò perché Togliatti, dal suo letto d'ospedale, invitò i militanti alla calma. Fu un gesto di grande realismo.

Togliatti sapeva che, se i comunisti avessero oltrepassato il limite, la risposta sarebbe stata durissima.

Sì, lo sapeva. Ma non è solo questo. Nella sua lungimiranza Togliatti aveva compreso la situazione, conosceva benissimo i limiti entro i quali il Pci poteva operare e li accettava. Dopo le elezioni dell'aprile 1948, capì che i comunisti non avrebbero più avuto alcuna possibilità di tornare al governo. Quindi, se mai ne avesse avuta l'intenzione, abbandonò definitivamente l'idea di un'insurrezione armata. Lui non scatenò la rivoluzione, e i democristiani rinunciarono a mettere fuori legge il Pci. Ecco, con estrema brutalità, i termini del compromesso democratico che ha evitato il bagno di sangue, consentendo al Paese di crescere.

Si può misurare il valore di un leader usando come metro la sua rinuncia all'azione politica e al conseguimento dell'obiettivo? Perché di fatto, a sentir lei, questo fece Togliatti.

In un contesto normale, il metro di misura ovviamente non può essere questo. Noi però stiamo parlando dell'Italia della guerra fredda e di un partito che si chiamava ed era comunista. Questo era il dato di partenza. Ma quella che poteva sembrare una rinuncia al conseguimento del fine, in realtà era la conseguenza di una strategia che mirava, sul lunghissimo periodo, a emancipare il Pci dalla tutela di Mosca. Ecco allora che si capisce meglio la scelta togliattiana di aver relegato su uno sfondo lontano l'obiettivo del socialismo, per puntare sullo sviluppo della democrazia parlamentare. Non c'è niente da fare, questo è il merito storico di un leader come Togliatti.

E il merito dei suoi avversari?

Quello di aver compreso anche loro con lungimiranza i limiti della situazione e di averli accettati. La lotta al comunismo, per quanto dura, non poteva oltrepassare un certo limite. Mettere fuori legge il Pci avrebbe provocato lo scontro armato. Perciò, bisognava combattere i comunisti, ma consentendo loro di sopravvivere, favorendone nel frattempo l'evoluzione democratica. Sono illuminanti, in proposito, le parole pronunciate recentemente da Giulio Andreotti. Il quale, polemizzando con certe posizioni di Forza Italia, liquidatorie nei confronti di Togliatti («uomo scaltro, doppio, spregevole»), ha invece riconosciuto che «se la nostra generazione è riuscita a fare qualcosa, è stato proprio perché ciascuno assorbì dagli altri anche le valutazioni opposte. Per questo ho sempre avuto per Togliatti un grande rispetto».

Ricordo quelle parole di Andreotti; le ha pronunciate durante un convegno dell'Istituto Gramsci, nel dicembre del 2004. In quell'occasione ha anche rivelato che Togliatti «non fu disperato» per la sconfitta del Fronte popolare nelle elezioni del 1948. Lo pensa anche lei?

Sì, ne sono convinto. Togliatti conosceva benissimo gli uomini del regime di Mosca e sapeva che se le sinistre avessero vinto quelle elezioni, l'Italia sarebbe scivolata nell'orbita di influenza sovietica, col rischio che si ripetesse da noi quello che era appena accaduto in Cecoslovacchia: il colpo di Stato attuato dagli elementi stalinisti del partito, dopo la vittoria delle sinistre in regolari elezioni politiche. Penso che molti dirigenti del Pci, tutto sommato, in cuor loro preferissero che l'Italia rimanesse nel campo delle democrazie occidentali.

Lei pensa davvero che, dopo Yalta, i sovietici potessero avere in mente di trasformare l'Italia, Paese assegnato alla sfera di influenza anglo-americana, in un satellite di Mosca?

No, in un loro satellite no. Ma se nel 1948 avesse vinto il fronte popolare, i sovietici avrebbero potuto spingere verso una neutralizzazione dell'Italia, come Austria e Finlandia. Dopo il 1948, svanita questa possibilità, l'Urss si preoccupò soprattutto di evitare che il Pci scivolasse fuori dalla sua orbita. Come ho già detto, lo riteneva un partito con un gruppo dirigente poco affidabile, tanto che nel 1950 tentò addirittura di sostituire Togliatti.

In quell'anno Togliatti ebbe un incidente stradale in Val D'Aosta e si salvò per miracolo... È a questo che allude, alla possibilità di un attentato?

Io non ho alcun elemento per avanzare un'ipotesi del genere. Però so che i dirigenti democristiani, a cominciare da Andreotti e Taviani, lo hanno sempre pensato. E anche dentro il Pci, l'ipotesi dell'attentato ha sempre avuto una qualche credibilità. In ogni caso, io mi riferivo a quello che accadde dopo l'incidente. Stalin, infatti, chiese a Togliatti di trasferirsi a Mosca per dirigere il movimento comunista internazionale. Oltretutto, gli spiegò che nella capitale sovietica si sarebbe sentito al sicuro. E mentre Stalin gli faceva questa proposta, la direzione del Pci si era già riunita per indicare il suo successore. E sa chi era?

Lo posso immaginare: Pietro Secchia.

Appunto. Lui era vicesegretario e responsabile dell'organizzazione del partito. Quindi, sarebbe toccata a lui la successione.

Sia nel caso in cui Togliatti fosse morto nell'incidente stradale, sia nel caso in cui avesse accettato l'offerta di Stalin, suppongo.

In entrambi i casi. Ma Togliatti si salvò e preferì rimanere in Italia, dove regolò i suoi conti con Secchia: poco dopo, lo sostituì alla guida dell'organizzazione con un dirigente della scuola napoletana, Giorgio Amendola, figlio di Giovanni, il filosofo e politico liberale.

Però i capi del Pci continuarono a tenere i rapporti con l'Urss: prendevano i rubli dal «partito fratello», si schieravano dalla parte di Mosca su tutte le questioni importanti di politica estera e trascorrevano le vacanze sul Mar Nero, ospiti del Pcus. Parlo degli uomini del gruppo dirigente togliattiano, non di Pietro Secchia...

Quello che lei dice è vero. Ma è una contraddizione assolutamente spiegabile nell'anomalo contesto italiano. Nonostante tutto, i legami con l'Urss erano profondi. Non dimentichiamo che, subito dopo la guerra, nell'immaginario dell'opinione pubblica occidentale, anche di quella americana e inglese, Stalin era l'eroe che aveva fermato Hitler sacrificando venti milioni di vite umane. Il mito dell'eroe è sopravvissuto nell'immaginario del popolo di sinistra per anni, anche durante l'inizio della guerra fredda. C'è poi da aggiungere che, calata la cortina di ferro sull'Europa, si era obbligati a una scelta di campo: o di qua o di là. Se Togliatti avesse schierato il Pci nel campo occidentale, la sua gente non lo avrebbe seguito e i dirigenti filosovietici avrebbero avuto il sopravvento. Ma non creda che i democristiani fossero così felici di essere schiacciati sul modello americano. Loro fecero la scelta atlantica. Ma il loro atlantismo, come il filosovietismo del gruppo togliattiano, era assai più tiepido di quanto si è sempre creduto. La verità è che comunisti e democristiani avevano paura gli uni degli altri, ed erano pronti a fronteggiare eventuali colpi di mano dell'uno o dell'altro. Ma al tempo stesso sapevano che, così come erano obbligati a scelte di campo, erano anche costretti a convivere sotto lo stesso tetto. E dovevano farlo, possibilmente, senza far saltare in aria l'abitazione. Il genio di Giovannino Guareschi ha reso perfettamente il clima dell'epoca attraverso le storie di Peppone e don Camillo, molto meglio di quanto abbiano fatto tanti storici di professione.

Obbligati a convivere e, dunque, a cercare continuamente un punto di equilibrio?

Questo è il filo che percorre l'intera storia della prima Repubblica: la necessità di stabilire sempre il punto di equilibrio tra le forze in campo, dentro il quadro determinato dai rapporti internazionali. È una ricerca di compromesso che avviene però al livello alto. C'è infatti una componente importante del movimento cattolico che, anche nei momenti più aspri dello scontro, non chiude mai fino in fondo il dialogo con i comunisti. Penso, per esempio, a Giorgio La Pira o Giuseppe Dossetti, due degli esponenti più prestigiosi della sinistra cattolica. O allo stesso papa Giovanni XXIII e alla sua politica di apertura agli «uomini di buona volontà». È quella parte della cultura cattolica sensibile ai temi sociali e quindi in qualche modo anche disposta a subire il fascino della visione comunista del mondo. In piena guerra fredda, papa Giovanni e uomini come La Pira e Dossetti, nonostante tutto, contribuiscono a tenere aperti i canali di comunicazione tra la Dc e il Pci.

Anche con i due eserciti schierati sul campo, con le armi cariche e pronte a sparare?

Si combatterono politicamente e in modo anche aspro. A volte la lotta trascese il metodo democratico, se pensiamo per esempio alla durezza con cui i comunisti venivano discriminati nelle fabbriche o a certi eccessi delle lotte operaie. Ma, da una parte e dall'altra, non c'era mai il desiderio di annientare l'avversario. Se guardiamo la Costituzione approvata dopo la guerra, ci rendiamo conto di come quel pezzo di carta oggi calpestato con incredibile leggerezza, abbia invece costituito il collante che ha tenuto insieme il Paese. Il Patto costituzionale stipulato dopo la guerra esprime la sintesi più alta delle diverse culture politiche. È la Costituzione più liberale e socialmente avanzata che esista al mondo. Contiene un sistema di regole concepite proprio per impedire che una parte prevalesse sull'altra fino ad annientarla.

I partiti non si fidavano gli uni degli altri e dunque avevano previsto nella Costituzione un sistema di bilanciamento dei poteri per impedire eccessi autoritari.

Non si fidavano gli uni degli altri e quindi tendevano a tutelarsi. La Carta approvata dalla Costituente è non solo intimamente proporzionalista, ma è tanto proporzionalista da presupporre governi di coalizione, per evitare che troppo potere si concentri nelle mani di un unico partito. Tuttavia è attenta a bilanciare anche i poteri fra le cariche dello Stato, in modo che l'una non possa mai prevaricare l'altra. Per fare un esempio, è il presidente del Consiglio che sceglie i ministri sulla base dei suggerimenti dei partiti della coalizione, ma formalmente è il presidente della Repubblica che li nomina. E ancora, è il capo dello Stato che affida l'incarico per la formazione del governo, ma il governo deve ottenere la fiducia del Parlamento. E sono le Camere che, a loro volta, eleggono il presidente della Repubblica, ma a larghissima maggioranza, quindi anche con il contributo dell'opposizione. E possiamo continuare con gli esempi, se vogliamo. Prendiamo le leggi: non possono essere approvate da una sola Camera, devono ricevere il visto anche dell'altra. E se il Senato, poniamo, modifica una legge già approvata alla Camera, quella legge deve tornare ai deputati per l'approvazione definitiva. Ha visto quante garanzie e quanti bilanciamenti?

Sì, ma è una Costituzione concepita quando i comunisti sono ancora al governo, anche se viene approvata dopo la loro estromissione dalla stanza dei bottoni. Una volta rotta l'unità nazionale antifascista, di fatto si stabilisce un principio non scritto in nessun articolo della Costituzione: quello che vieta al Pci di ritornare al potere.

È vero, è una Costituzione modellata sull'idea ciellenistica di grande alleanza fra i partiti antifascisti. Però, nel momento in cui i comunisti vengono emarginati per effetto della guerra fredda, da quel momento i meccanismi di bilanciamento addirittura si accentuano attraverso altre regole non scritte. Si rafforza per esempio la centralità del Parlamento, che diventa il luogo della sintesi e del riequilibrio. Si affermano il concetto e la funzione di Parlamento "governante", per cui le Camere assumono importanza rispetto agli altri poteri.

Il sistema del "consociativismo parlamentare"?

Quel meccanismo che consentiva appunto al Pci di essere un consociato nella gestione del potere. Per cui, anche per una sorta di *agreement* tra maggioranza e opposizione, in realtà il Pci non era mai totalmente estraneo al governo nazionale. Funzionava così: la maggioranza proponeva una legge, l'opposizione sparava a zero ma poi presentava emendamenti, che venivano quasi sempre recepiti, e la legge passava. Se si esamina la storia parlamentare della prima Repubblica, si vede che c'erano momenti di scontro aspro su una serie di temi su cui le visioni del mondo erano inconciliabili. Ma per tutto quello che riguardava invece il governo delle cose, il governo concreto del Paese, si vede come, da un lato, l'opposizione del Pci fosse dotata di grande ragionevolezza; e dall'altro, come la maggioranza di governo non smettesse mai di interloquire con la minoranza.

Al di là dei pericoli potenziali, secondo lei, qual era il grado di conoscenza che gli uni avevano del mondo sotterraneo degli altri?

Erano due mondi che diffidavano l'uno dell'altro e quindi si controllavano a vicenda. Cossiga di recente ha rivelato di avere suoi informatori nella direzione del Pci che gli passavano quasi in tempo reale i verbali stenografici delle riunioni[1]. Quindi i democristiani erano perfettamente al corrente della dialettica interna del loro avversario. I comunisti erano costantemente monitorati anche dai servizi segreti, sia italiani che stranieri. La loro sede nazionale, in via delle Botteghe Oscure, era proprio tra i palazzi di due antiche famiglie patrizie romane (Pecci-Blunt e Antici Mattei), dove operavano nuclei del Congresso per la libertà della cultura e società di copertura dell'intelligence anglo-americana. E dietro, nel ghetto ebraico, dominava il Mossad. Non c'era riunione, telefonata o conversazione, nella sede del Pci, che non venisse ascoltata. Gli avversari del Pci avevano una percezione esatta dell'influenza filosovietica all'interno del partito, delle dimensioni del suo apparato paramilitare e di tutti i suoi legami con Mosca. Anche quelli di natura economica.

Sapevano anche dei dollari che dal Pcus affluivano nelle casse del Pci?

Sapevano perfettamente che i sovietici finanziavano abbondantemente i comunisti e, fino al 1956, anche i socialisti italiani. Conoscevano tutte le società e le cooperative che ruotavano intorno al Pci, e sapevano che quel sistema di imprese costituiva il suo polmone finanziario. Erano al corrente delle tangenti che il Pci prendeva per le sue intermediazioni d'affari tra le industrie italiane e i Paesi socialisti. Monitoravano anche le proprietà immobiliari del partito, in cui avevano sede case del popolo, sezioni, federazioni e centri culturali: sapevano benissimo che non erano intestate a società, ma a persone fisiche, perché i dirigenti vivevano costantemente nel timore che il Pci fosse dichiarato da un momento all'altro fuori legge e che i suoi beni venissero confiscati.

E i comunisti, che cosa sapevano dei loro avversari?

Anche loro avevano informatori nella Dc e negli altri partiti di governo. Avevano fonti nel ministero dell'Interno. E, naturalmente, ricevevano informazioni anche dalla rete del Kgb, che in Italia era particolarmente efficiente. Sono convinto che delle attività segrete dei loro avversari i comunisti sapessero tutto sin dall'inizio. Ma non dicevano nulla perché, se avessero parlato della rete clandestina anticomunista, avrebbero indotto gli altri a parlare dell'apparato paramilitare del Pci. Certamente i comunisti conoscevano le fonti di finanziamento dei partiti di governo. Sapevano che i soldi arrivavano dalla Cia e dal sistema delle partecipazioni statali. E naturalmente, al di là della propaganda, si guardavano bene dal mettere in piazza le loro informazioni riservate.

Dunque, gli uni conoscevano gli scheletri negli armadi degli altri, ma tacevano. Era il prezzo da pagare in cambio della pace?

Ricorderà l'episodio riferito da Taviani in Commissione stragi. Nel 1955 era ministro della Difesa nel governo Scelba ed ebbe dal servizio segreto la notizia, con relativa documentazione, che il Pci aveva appena ricevuto due miliardi dall'Urss. Andò immediatamente a riferire al presidente del

Consiglio e ai rappresentanti nel governo del Psdi, Giuseppe Saragat, e del Pli, Gaetano Martino. Scelba annotò tutto diligentemente, ma vietò che la notizia venisse divulgata. Se fosse diventata di dominio pubblico, spiegò, la conseguenza immediata sarebbe stata la messa al bando del Pci. E non si poteva fare. Saragat e Martino erano d'accordo con lui. Era così che funzionava. Gli uni accettavano che i sovietici finanziassero i comunisti e gli altri che gli americani aiutassero gli anticomunisti. Faceva parte del compromesso. Del resto, tutti sapevano che la politica costava molto e drenava continuamente risorse. E nella logica del bilanciamento e dell'equilibrio delle forze, anche l'aspetto finanziario aveva il suo peso. Tanto che, quando la guerra fredda cominciò ad attenuarsi e dall'estero arrivavano sempre meno fondi, gli appalti pubblici diventarono la risorsa primaria della politica. Ci fu un bilanciamento consociativo, per così dire, anche nei finanziamenti: tra i gruppi che si contendevano l'appalto, una fetta veniva sempre riservata alle cooperative rosse.

Lei però ha descritto finora soltanto la finzione di una democrazia, il surrogato di un sistema democratico.

Ho descritto come funzionava la democrazia "possibile" nell'Italia della guerra fredda...

Ma con i sintomi di una grave patologia: una vera e propria sindrome schizofrenica del sistema italiano.

Ho descritto semplicemente l'anomalia italiana. Un Paese attraversato da una ferita profonda, ma con forze politiche che hanno sempre interloquito, dialogato e trovato un loro equilibrio. A costo di ripetermi, l'Italia della prima Repubblica è stata sempre profondamente divisa, però ha sempre cercato in qualche modo di comporre la propria divisione o di attenuarne l'effetto negativo. E questo ci ha consentito, malgrado tutto, di continuare a crescere. Si fronteggiavano due blocchi ideologicamente inconciliabili, con due visioni opposte del mondo, però quei due blocchi si parlavano e in fondo si rispettavano. Si insultavano nelle piazze, facevano campagne elettorali di una tensione verbale estrema, ma nella gestione concreta della vita parlamentare avevano un'interlocuzione costante e direi anche fruttuosa per il Paese.

Quell'equilibrio, però, presupponeva che entrambe le parti accettassero sostanzialmente l'immutabilità della situazione: la Dc con i suoi alleati sempre al governo, il Pci sempre all'opposizione. Erano gli accordi internazionali che di fatto lo imponevano, anche se nessuna clausola lo prevedeva esplicitamente. Come poteva reggere un equilibrio così statico di fronte alle pressioni della società, che non sempre erano controllabili dai partiti?

In realtà, nonostante il sistema politico fosse bloccato, la storia della prima Repubblica non è mai una storia statica. Perché divisioni così profonde imponevano che il punto di equilibrio fosse spostato continuamente in avanti. Nei partiti, almeno fino alla morte di Moro, c'era sempre la netta sensazione che nel momento in cui il sistema si fosse stabilizzato in maniera definitiva, si sarebbe irrigidito e probabilmente non avrebbe retto alle pressioni. E allora, lo sfogo era nella ricerca di equilibri sempre più avanzati: quando va in crisi il centrismo, si apre la stagione del centrosinistra; e quando va in crisi il centrosinistra, si apre la stagione, sia pur brevissima, della solidarietà nazionale.

Se Dc e Pci si sentivano nonostante tutto a disagio di fronte ai vincoli internazionali, l'elasticità del sistema era soltanto una misura antisismica, per così dire, o era anche il frutto di una strategia per il superamento dell'equilibrio di Yalta?

C'era sicuramente una strategia che sul lungo, lunghissimo periodo puntava a una normalizzazione della democrazia italiana. Anche per questo c'era un'interlocuzione continua tra i due mondi. Da questo punto di vista direi che è importantissimo il passaggio da papa Pacelli a papa Roncalli. Pio XII aveva scomunicato i comunisti. Giovanni XXIII invece introdusse una distinzione fra l'*errore* (il comunismo) e gli *erranti* (i comunisti). In realtà, quella di papa Giovanni era l'evidenziazione di una filosofia a cui una buona parte della Dc si era sempre appoggiata. Andreotti, per esempio, ha sempre distinto l'errore dall'errante e infatti con quegli erranti ha avuto sempre buonissimi rapporti. Moro, addirittura, su quella distinzione fonda una strategia politica. E anche per quanto riguarda i comunisti, l'idea di un'evoluzione in senso occidentale del partito è insita nella "svolta di Salerno" e nella via italiana al socialismo. Più tardi, attraverso la politica eurocomunista e il compromesso storico, Berlinguer andrà ancora più avanti.

Nell'uno e nell'altro campo, c'erano dunque forze del dialogo che puntavano a una normalizzazione del sistema. Ma c'erano anche forze ostili al disgelo politico, due opposti estremismi.

Sì, c'era un oltranzismo atlantico e c'era un oltranzismo filosovietico, due oltranzismi di segno opposto, ma accomunati dallo stesso obiettivo: quello di impedire qualsiasi possibilità di intesa tra Dc e Pci. Le degenerazioni stragiste da un lato e del terrorismo rosso dall'altro sono proprio il frutto di questa logica portata alle estreme conseguenze.

Sul versante Pci, gli oltranzisti sono più facilmente individuabili: i secchiani e quella componente della Resistenza che dopo il 25 aprile non ha deposto le armi...

E che vive in attesa della mitica ora x, il momento più propizio per scatenare l'insurrezione popolare.

Sul versante opposto, invece?

Innanzitutto gli apparati di forza. Settori dell'esercito, dei servizi segreti, della polizia, dei carabinieri e dell'alta burocrazia (prefetti e dirigenza ministeriale) vivono questa attitudine al dialogo con una certa insofferenza. La considerano un sintomo di profonda inaffidabilità della classe politica, e quindi in qualche modo si ribellano. Non dimentichiamo che sono ambienti dove la presenza di numerosi funzionari del regime fascista e della Repubblica di Salò non ha certo favorito la crescita di una cultura liberale e democratica. E poi, ci sono interi pezzi della borghesia italiana talmente conservatori che, ai loro occhi, uomini come Fanfani, Gronchi e La Malfa, per non parlare di Moro, appaiono alla stregua di pericolosi rivoluzionari comunisti.

Il ceto politico di governo era dunque migliore del mondo che rappresentava, della cosiddetta società civile, per usare un'espressione in voga negli anni Novanta?

Senza alcuna ombra di dubbio. Abbiamo avuto governi che erano molto più avanti del ventre profondo della borghesia italiana, così visceralmente anticomunista, da attribuire al compromesso strisciante con il Pci persino una serie di riforme sociali che erano invece momenti di attuazione della Costituzione. Da meridionale, ricordo per esempio che parte della borghesia reagì alla riforma agraria come se si trattasse di un esproprio proletario: la sconfitta del latifondo e il tentativo di modernizzare l'agricoltura del Sud fu vissuto dalla borghesia agraria come la prova che in Italia comandavano i comunisti. E anche la nazionalizzazione dell'energia elettrica, voluta più tardi dal centrosinistra per non lasciare in mani private un settore strategico, venne vissuta da una parte della borghesia come una forma di sovietizzazione dell'economia. Ecco, questo era il ventre profondo in cui l'anticomunismo ribolliva e diventava sempre più viscerale.

Quest'anticomunismo esasperato aveva radici tutte nostre, interne, o era anche il riflesso di quell'ondata emotiva scatenata in America dal maccartismo? E la continua ricerca di un dialogo con il Pci era una preoccupazione soltanto del gruppo di-

rigente democristiano o era in qualche modo condivisa anche a Washington? Insomma, lei che idea si è fatto circa l'atteggiamento dell'amministrazione Usa verso le vicende italiane: c'era al suo interno una differenziazione di punti di vista sul modo di combattere il comunismo?

In generale direi che la tendenza al dialogo tra Dc e Pci, per impedire che una guerra civile potenziale degenerasse in una guerra civile conclamata, veniva vista con diffidenza anche negli Usa, dove non si sono mai fidati sino in fondo della Dc, come ho già detto. Anche quel nostro modo di essere ai limiti estremi dell'ortodossia atlantica in politica estera, faceva sì che gli Usa ci guardassero con sospetto. Dunque, tutte le azioni che la politica, l'ambasciata, gli apparati di forza statunitensi svolgevano in Italia probabilmente risentivano di questa diffidenza. Ma non possiamo pensare agli Usa come a un monolite. In America ci sono i repubblicani e ci sono i democratici. Ed entrambi, a loro volta, hanno al loro interno posizioni differenti. Quindi, c'è una parte dell'amministrazione e degli apparati burocratici americani che si organizza ed è pronta anche ad appoggiare prospettive golpiste; e c'è una parte che, tutto sommato, sia pure con qualche perplessità e prudenza, accetta (e in una certa misura favorisce anche) la ricerca di equilibri più avanzati nella politica italiana.

Frances Stonor Saunders, autrice di La guerra fredda culturale, *il libro di cui abbiamo già parlato, racconta di come la Cia utilizzasse l'élite intellettuale della sinistra anticomunista o ex comunista non solo per contrastare la propaganda sovietica, ma anche per inoculare i germi del liberalismo nella cultura della sinistra marxista. Avvenne in Inghilterra con i laburisti e in Germania con i socialdemocratici. Secondo lei, un'operazione analoga venne fatta anche con il Pci?*

In quel libro molto interessante ho trovato conferme alla mia idea che l'America non fosse un monolite. Non c'era infatti solo Joseph McCarthy con le sue fobie e le sue ossessioni anticomuniste. C'era anche una Cia liberal che promuoveva il meglio dell'intellighenzia progressista e che scommetteva su una lenta evoluzione del Pci in senso occidentale e antisovietico. Lo strumento di questa politica era la cultura azionista, che dopo la guerra aveva pervaso il mondo laico e socialista: ambienti profondamente filoamericani, come ho già spiegato, ma anticlericali e antidemocristiani, a disagio in un'alleanza di governo con la Dc e, dunque, particolarmente interessati all'evoluzione dei comunisti.

Gli ambienti di cui lei parla, però, erano espressione di una tecnocrazia economico-finanziaria (oggi si direbbe: "poteri forti") che non ha mai visto di buon occhio i tentativi di dialogo tra Dc e Pci. Era un'élite illuminata e piena di sé, che non amava i grandi partiti di massa. È in quel mondo, ricorderà, che è stata coniata la parola "cattocomunismo", per indicare con disprezzo quel mix politico-culturale frutto dell'incontro tra i due grandi blocchi del sistema italiano.

Un'élite tecnocratica che diffidava in generale della politica, verso la quale però ha sempre nutrito ambizioni egemoniche. Quegli ambienti non amavano i democristiani perché cattolici e, per giunta, corrotti. E non amavano i comunisti perché comunisti. Ai loro occhi di laici fino al midollo, Dc e Pci erano due chiese che soffocavano il Paese. Alleati dei democristiani, volevano mandarli all'opposizione. Irriducibili anticomunisti, ma laici e di sinistra, volevano cancellare il Pci e la sua tradizione, ma non la sua forza, che avrebbero voluto utilizzare contro la Dc. Erano questi gli scenari politici del dopo guerra fredda ipotizzati in quegli ambienti.

4
La rottura dell'equilibrio

Quello che lei ha delineato finora è uno scenario da guerra civile, però solo allo stato potenziale, con i due eserciti pronti a combattersi, ma senza molta voglia di farlo, tanto che hanno trovato un loro equilibrio. Siamo negli anni Cinquanta: periodo di stabilità politica attorno ai governi centristi, di pace sociale garantita dal togliattismo e di crescita economica...

La stagione mirabilmente descritta da Italo Calvino nel racconto-apologo *La gran bonaccia delle Antille*, pubblicato nel 1957 su «Città aperta», il giornale attorno a cui si riunivano alcuni intellettuali comunisti in odore di eresia: la gran bonaccia calata sull'Italia e sui comunisti, dopo che avevano armato le loro baleniere ed erano partiti per la caccia grossa...[1]

Ma all'inizio degli anni Sessanta, di fronte alle prime ondate, quell'equilibrio comincia a manifestare segni di crisi: perché, dopo la bonaccia, arriva la tempesta?

La rinascita economica dopo la guerra era avvenuta a spese soprattutto della classe operaia, dal momento che i salari non erano aumentati in proporzione alla crescita della ricchezza nazionale. In una democrazia compiuta, in un sistema politico basato sull'alternanza tra conservatori e progressisti, quella era la fase in cui i laburisti o i socialdemocratici sarebbero andati al governo e, attraverso la politica fiscale, avrebbero operato una redistribuzione della ricchezza. Ma in Italia non c'era un partito laburista o socialdemocratico che potesse andare al governo, perché la sinistra era soprattutto comunista. Così la tensione sociale crebbe, travolgendo la politica centrista nata dopo la rottura dell'unità antifascista e la sconfitta del fronte popolare nelle elezioni del 1948.

La crisi del centrismo, nel maggio 1960, sfociò nel governo Tambroni, il monocolore democristiano appoggiato dai neofascisti del Msi. La sinistra reagì con la proclamazione di uno sciopero politico contro il governo e con la mobilitazione della piazza. La risposta delle forze dell'ordine fu ancora più dura. Il luglio di quell'anno fu particolarmente caldo, ci furono anche morti e feriti.

Il 1960 è un anno cruciale, perché la crisi del centrismo riapre ferite che si stavano in qualche modo rimarginando: è l'anno d'inizio di tutte le degenerazioni. Da un lato, si fa sempre più pressante l'esigenza di dare uno sbocco positivo alla crisi, spostando in avanti l'equilibrio. Dopo l'invasione sovietica dell'Ungheria, approvata dal Pci, nel 1956 i socialisti di Pietro Nenni hanno rotto il patto d'azione con i comunisti e sono ormai a un passo dal governo. Dall'altro lato, spaventato da questa prospettiva, il fronte moderato risponde imponendo il monocolore Tambroni appoggiato dai neofascisti. Si può immaginare in quale stato d'animo precipiti il Paese.

Qual è innanzitutto lo stato d'animo della sinistra?

Il governo Tambroni aveva rimesso in gioco l'estrema destra ad appena quindici anni dalla fine della guerra, senza che avesse abiurato la sua fede fascista. Anzi: il Msi rivendicava addirittura con orgoglio i suoi legami con la Repubblica di Salò. Tambroni aveva rotto un equilibrio e risvegliato dei fantasmi.

E quello della destra?

Suscitò molta impressione il fatto che la piazza rossa avesse provocato la caduta del governo Tambroni, che pure doveva ritenersi costituzionalmente legittimo perché liberamente espresso dal Parlamento, che gli aveva concesso la fiducia. Pensiamo a come abbiano vissuto la caduta di Tambroni molti giovani vicini al Msi o a formazioni della destra radicale. Ebbero la prova che alla destra era inibita la possibilità di arrivare democraticamente al governo. Si rafforzò quindi la convinzione che fosse necessaria una svolta autoritaria.

Insomma, i timori di una parte e dell'altra trovarono reciproche conferme?

Esattamente. Da un lato, la nascita del governo Tambroni era la prova che il parlamentarismo non era in grado di impedire un ritorno al potere della destra radicale. Dall'altro, la sua rapida caduta era la prova che il Pci, con il suo apparato, era in grado di sbarazzarsi dei governi in qualsiasi momento lo avesse voluto. Due paure opposte e speculari che avrebbero condizionato tutta la fase successiva. E che ancora oggi, a tanti anni di distanza ormai dalla fine della guerra fredda, continuano ad avvelenare il clima politico del Paese.

Dopo Tambroni, dunque, nulla è più come prima. Intanto dovremmo registrare la novità che si impone sul piano politico, con la cooptazione del Psi nel governo e l'apertura della stagione del centrosinistra. Vale la pena di ricordare che l'ispiratore di quella svolta è un democristiano che risponde al nome di Aldo Moro.

Aldo Moro, certo. E trovò una sponda in Vaticano, dove papa Giovanni XXIII era succeduto a Pio XII. E soprattutto in America, dove il democratico John Kennedy aveva appena sostituito il repubblicano Eisenhower alla presidenza. E il fatto che a Mosca ci fosse un uomo come Krusciov al posto di Stalin, certamente aiutò. Insomma, era mutato il clima internazionale: la distensione, l'idea di una coesistenza pacifica tra i due blocchi, entro certi limiti favoriva anche un'evoluzione della politica italiana.

Quel nuovo clima però aveva oppositori fortissimi nell'uno come nell'altro campo. Soffermiamoci per ora sul campo anticomunista. Quali forze si coagulano contro il centrosinistra?

Ambienti militari, istituzionali, e circoli diplomatici formatisi nella logica della guerra fredda. Poi, gran parte della borghesia. E, sul piano politico, il Msi e alcuni settori abbastanza marginali, anche se influenti, della Dc, del Pri, del Psdi e del Pli. Questi ambienti sono terrorizzati dall'idea stessa di distensione, che considerano come un marchingegno concepito dai comunisti per estendere in modo subdolo la loro influenza. Per loro, come ho già detto, il centrosinistra non è nient'altro che l'anticamera del regime comunista. E infatti, la nazionalizzazione dell'energia elettrica, la nuova legge urbanistica e la stessa programmazione economica, al centro della politica del primo centrosinistra, sono guardati in quegli ambienti con estrema diffidenza. Dal loro punto di vista, quelle riforme anticipano il modello del socialismo reale.

Secondo lei, era un timore del tutto infondato?

Mi è difficile pensare che uomini come Moro, Fanfani, La Malfa, Saragat e lo stesso Nenni volessero instaurare in Italia un regime comunista. La paura di quegli ambienti era il frutto di una vera e propria sindrome ossessiva. A volte, però, le ossessioni possono anche essere alimentate dai comportamenti degli altri. Lo dico perché in certe posizioni di politica economica e sociale del Psi (e persino del Psdi) c'era una dose di massimalismo che agli ambienti conservatori e reazionari poteva anche apparire come una pericolosa concessione al Pci.

E forse in una certa misura era davvero così. L'apertura sul terreno sociale probabilmente bilanciava l'ostracismo su quello politico-ideologico nei confronti del Pci.

Verissimo. Era uno dei bilanciamenti per impedire al sistema di scoppiare. Ma al tempo stesso era una sfida al Pci proprio sul suo terreno, per non lasciargli l'esclusiva della rappresentanza delle masse popolari. Entrambe le preoccupazioni erano presenti anche nella politica della Dc, e di Moro, che ne era l'interprete principale.

Lei ha delineato il fronte ostile al centrosinistra. Vuol dire ora come, all'interno di quel fronte, venne organizzata la reazione?

Quale fosse il principio su cui si basava la reazione, lo ha spiegato con estrema chiarezza Edgardo Sogno, in un'intervista rilasciata dopo la caduta del Muro proprio al settimanale per il quale lavora lei, «Panorama»: «Uno dei modi per dissuadere il Pci era creare il "complesso cileno"[2]: era bene che i comunisti sapessero che ci sarebbe stata una risposta». Il contesto della dichiarazione di Sogno era diverso, il suo riferimento era al clima che si creò in Italia dopo il colpo di Stato in Cile, nel 1973. Ma la filosofia era la stessa di dieci anni prima, ed è rimasta la stessa anche dopo.

Era la filosofia del "piano Solo", il progetto di colpo di Stato che il generale De Lorenzo, secondo alcuni, avrebbe dovuto attuare nell'estate del 1964, con l'avallo dell'allora presidente della Repubblica Antonio Segni?

Sì, il famoso "tintinnio di sciabole"[3] che venne fatto sentire ai politici mentre trattavano per la formazione del secondo governo di centrosinistra, dopo che il primo era caduto per le eccessive pretese programmatiche dei socialisti. Però, come ho spiegato in *Segreto di Stato*, non fu un vero e proprio tentativo di golpe, ma un'*intentona*, come dicono gli spagnoli: cioè un colpo di Stato programmato per dissuadere, ma non attuato.

Ma lo scopo fu comunque raggiunto, visto che i socialisti mitigarono le loro pretese.

Sì, lo scopo fu raggiunto e Moro poté formare il governo, un po' annacquato dal punto di vista programmatico rispetto al precedente.

Di quella vicenda, però, ci sono ancora diversi punti oscuri. Il primo riguarda la famosa lista dei settecento "enucleandi", cioè gli esponenti della sinistra che i carabinieri di De Lorenzo avrebbero dovuto arrestare e deportare in una base di Gladio, in Sardegna, nel caso in cui il golpe fosse stato attuato. Quella lista, secretata, era agli atti delle commissioni parlamentari d'inchiesta, ma è sparita. E così noi oggi non sappiamo ancora chi fossero quegli "enucleandi".

Erano gli uomini dell'apparato paramilitare comunista che avevano il compito di costruire la rete clandestina, nel caso in cui il Pci fosse stato dichiarato fuori legge. Se De Lorenzo fosse stato costretto ad attuare il suo piano, per prima cosa avrebbe neutralizzato il gruppo dirigente ufficiale e quello che avrebbe dovuto sostituirlo. Questa è la conferma che i comunisti erano preparati a un'eventualità del genere, e che lo erano anche i loro avversari.

Secondo lei, perché è scomparsa quella lista?

Probabilmente proprio perché era la prova di un passato che non si voleva far conoscere, che nessuno voleva far conoscere. Non è un caso che né da destra né da sinistra si siano levate voci di protesta per la sottrazione di un documento così importante.

Un altro punto ancora da chiarire riguarda le circostanze in cui Segni venne colpito da trombosi, una settimana dopo che il Parlamento aveva votato la fiducia al governo Moro. Sulle cause del malore sono circolate molte leggende...

Ebbe una trombosi cerebrale durante un colloquio al Quirinale con il presidente del Consiglio, Moro, e il ministro degli Esteri, Saragat. Era stato un colloquio piuttosto burrascoso, a quanto pare. Saragat era decisamente arrabbiato con Segni per gli ordini che aveva impartito a De Lorenzo...

Dire che era arrabbiato forse è poco, a sentire certe indiscrezioni: Saragat aggredì fisicamente Segni?

Non lo so; ma anche se si trattò di un'aggressione soltanto verbale, per confidenze raccolte da alcuni democristiani che all'epoca ricoprivano incarichi di governo, fu estremamente violenta, tanto che Segni non resse e fu colpito da un grave malore certamente determinato da uno shock emotivo.

E che cosa avvenne subito dopo il malore di Segni?

Con quello che era appena successo, il "tintinnio di sciabole" e tutto il resto, si temeva un vuoto di potere, perché Segni non morì subito. La prospettiva era che il presidente entrasse in un lungo coma. E dunque, come prevede la Carta costituzionale, il presidente del Senato si apprestava ad assumerne le funzioni, fino alla elezione del nuovo capo dello Stato.

La preoccupazione per il vuoto di potere non dipendeva forse proprio dal fatto che il presidente del Senato fosse Cesare Merzagora?

Merzagora era un uomo di cui molti democristiani diffidavano. Lo avevano eletto come indipendente nelle loro liste, ma non si fidavano di lui: era un finanziere con legami internazionali, esponente di un mondo tecnocratico distante dalla cultura cattolica della Dc. Segni, invece, lo stimava e lo avrebbe visto volentieri alla guida del governo, al posto di Moro. Cossiga di recente ha rivelato che, se la crisi politica del 1964 non si fosse ricomposta, Segni avrebbe affidato proprio a lui (se non addirittura a Mario Scelba) l'incarico di formare il governo.

Oggi si direbbe che Merzagora era un uomo dei "poteri forti"?

Si direbbe proprio così. E la Dc non vedeva di buon occhio che i poteri del capo dello Stato passassero nelle sue mani fino alla morte di Segni. Perché, tra i poteri, c'era anche quello di dichiarare lo stato di emergenza, essendo il presidente della Repubblica anche il capo delle forze armate. Dopo la formazione del governo Moro, il clima era tutt'altro che rasserenato. Si ricorderà che, proprio in quelle settimane, Randolfo Pacciardi venne espulso dal Pri...

E il dettaglio ha il suo peso?

Ne ha tantissimo, molto più di quanto si pensi. Pacciardi, uno dei più acerrimi nemici del centrosinistra, era legato alla destra americana. Era stato ministro della Difesa all'epoca in cui Sogno stava allestendo la rete degli Atlantici d'Italia. Dopo la costituzione del governo Moro, nel 1964, aveva ripreso ad agitarsi molto, tessendo una fitta trama di rapporti anche con i neofascisti. Oggi sappiamo, da documenti americani declassificati, che all'epoca del "piano Solo" Pacciardi progettava una Repubblica presidenziale di stampo gollista.

Voleva ripetere in Italia quello che De Gaulle aveva fatto due anni prima, nel 1962, in Francia: l'imposizione attraverso un plebiscito popolare dell'elezione diretta del presidente della Repubblica?

Qualcosa del genere. Quando ordinò a De Lorenzo di preparare il "piano Solo", Segni era appena stato in Francia ed era rimasto favorevolmente impressionato dalla durezza e dall'efficacia con cui i gollisti combattevano il comunismo in quel Paese. Non dimentichiamo che De Gaulle, prima che un politico, era un militare, un tecnocrate che aveva costruito le sue fortune politiche in polemica con il sistema dei partiti. E le simpatie che riscuoteva in Italia preoccupavano non poco i partiti.

Randolfo Pacciardi doveva essere il De Gaulle italiano?

Credo, come dice Cossiga, che nel 1964 il De Gaulle italiano sarebbe stato Merzagora. Costituito invece il governo Moro, Pacciardi continuò ad alimentare quel filone gollista, con Sogno e i fascisti.

Se per caso fosse scoppiata una crisi di governo durante la sua reggenza al Quirinale, Merzagora avrebbe potuto affidare l'incarico a Pacciardi?

I democristiani temevano che durante la malattia di Segni, con Merzagora al Quirinale, potesse accadere proprio una cosa del genere. E, dunque, volevano che Segni si dimettesse per eleggere subito il nuovo capo dello Stato. Ma la malattia era stata devastante e aveva compromesso le capacità fisiche e psichiche di Segni, tanto da porre in dubbio che fosse in condizioni di formulare una cosciente volontà abdicativa e comunque di sottoscrivere l'atto di dimissioni.

Il 6 dicembre 1964, quattro mesi dopo il malore, Segni si dimise. Si era ripreso?

Non credo, anzi le sue condizioni si erano aggravate, tant'è che morì poco dopo.

E allora, se non era in grado di intendere e di volere, come fece a firmare le sue dimissioni? Falsificarono la sua firma?

Non lo so. Tenderei a escludere che si sia trattato di una firma apocrifa. Non escluderei invece, che il presidente sia stato con delicatezza... aiutato a firmare. Era il 6 dicembre. Il 16 le Camere si riunirono in seduta congiunta. E il 28 elessero il nuovo presidente, con i voti del Pci: Giuseppe Saragat.

E Pacciardi? E gli ambienti che lo ispiravano?

Si convinsero che l'Italia stesse scivolando rapidamente in braccio al Pci e si organizzarono per fronteggiare quella che consideravano una vera e propria emergenza. Secondo l'idea strategica di Sogno: tenere il Paese costantemente sotto la minaccia di un pronunciamento autoritario, che ci sarebbe stato nel caso in cui l'evoluzione del sistema politico avesse superato un certo limite. Naturalmente, perché la minaccia ottenesse il suo effetto deterrente, doveva apparire assolutamente credibile.

E quindi crearono le condizioni anche organizzative e logistiche perché la minaccia potesse essere attuata, qualora la situazione lo avesse richiesto?

Molti neofascisti vennero rimessi in gioco al livello occulto degli apparati e delle istituzioni. Proprio in quel periodo, all'inizio degli anni Sessanta, la magistratura militare insabbiò centinaia di processi contro i repubblichini responsabili delle stragi compiute dopo l'8 settembre. Erano stati massacrati quasi ventimila civili innocenti, in maggioranza donne, vecchi e bambini. E molti dei responsabili di quell'eccidio, com'era già avvenuto subito dopo la guerra, vennero riciclati nei servizi segreti, nell'esercito e nelle forze dell'ordine. Il colonnello Rocca che, secondo Sogno, con Malfatti costituiva la cellula segreta dell'anticomunismo di Stato[4], andava in giro per l'Italia a reclutare ex repubblichini e neofascisti per la rete degli Atlantici d'Italia. Ci fu dunque un'operazione di saldatura tra partigiani bianchi e neofascisti che segnò un ulteriore salto di qualità nella lotta al comunismo.

Con quali piani d'azione?

Da questo punto di vista, il salto di qualità fu compiuto nel maggio 1965, nell'Hotel Parco dei Principi, a Roma.

Il convegno dell'Istituto Pollio?

Lì si tenne un convegno organizzato dallo stato maggiore delle forze armate, attraverso una sua diretta emanazione, l'Istituto di storia e ricerca militare Pollio. Aveva per titolo "La guerra rivoluzionaria", quella che il comunismo stava combattendo contro le democrazie occidentali attraverso una subdola strategia di penetrazione nei gangli vitali della società. In quel convegno venne elaborata una risposta sul piano teorico (la "guerra controrivoluzionaria"), ma anche su quello organizzativo, con piani operativi definiti nei dettagli.

E che cosa prevedevano?

La creazione di una struttura segreta, con un vertice militare (che aveva compiti di addestramento e di indirizzo politico), e una serie di cellule operative composte prevalentemente da civili: i Nuclei di difesa dello Stato. Qualcosa di simile alla Gladio, ma con compiti diversi, anche se a volte le due reti finivano per coincidere.

Gladio si sarebbe attivata in caso di invasione sovietica e intanto svolgeva soprattutto una funzione di intelligence. Qual era invece il ruolo dei Nuclei di difesa dello Stato?

Quella pensata nel convegno del Parco dei Principi era una struttura tesa sostanzialmente a inglobare nella rete anticomunista organizzazioni neofasciste come Ordine nuovo, Avanguardia nazionale ed Europa civiltà; forse per metterle in prospettiva sotto l'ombrello della Gladio.

A quale scopo? Perché serviva l'ombrello della Gladio?

Per proteggerle con lo stesso segreto militare atlantico che copriva Stay Behind.

Ma perché proteggere, addirittura con il segreto militare atlantico, organizzazioni come Ordine nuovo, Avanguardia nazionale ed Europa civiltà?

Alla luce di quello che è accaduto negli anni successivi, la risposta non può che essere una: perché intendevano utilizzarle anche per compiere attentati, e quindi volevano impedire non solo che venissero scoperte le responsabilità dei neofascisti, ma anche e soprattutto che si potesse risalire ai livelli più alti delle complicità.

Dunque, nel convegno del Parco dei Principi gli umori più visceralmente anticomunisti si saldarono in una vera e propria alleanza operativa.

Il convegno dell'Istituto Pollio costituì il punto di arrivo di un processo che stava maturando da anni. E fu il punto di partenza per un disegno eversivo che si sarebbe dispiegato interamente a cavallo tra gli anni Sessanta e i Settanta. Fa una certa impressione sapere che a quel convegno parteciparono uomini di vertici delle forze armate e dei servizi segreti, esponenti della magistratura, industriali e finanzieri, politici, giornalisti e intellettuali esperti nella guerra psicologica, militanti neofascisti in seguito implicati in stragi e in altri gravi fatti della strategia della tensione... Persino un uomo molto distaccato, freddo e misuratissimo nelle reazioni, come Giulio Andreotti, ascoltato in Commissione stragi, ha ammesso che «l'insieme, visto oggi, è inquietante».

Oltranzismo atlantico e neofascisti che si saldano sotto l'ombrello del segreto Nato. È un'alleanza anomala, se si tiene conto delle posizioni tradizionalmente antiamericane della destra radicale italiana. Che cos'è che la tiene insieme, oltre alla lotta contro un nemico comune?

Ancora una volta, è stato grazie al contributo di uno storico come Ilari che abbiamo potuto inquadrare questo aspetto del problema. È vero, dopo la guerra, la destra radicale si riorganizza sulla base di un'idea forte che è quella di un'Europa contrapposta sia all'America che ai sovietici. Ma questa posizione viene gradualmente superata. E, all'idea di una grande Europa dall'Atlantico agli Urali, sia antisovietica che antiamericana, si sostituisce quella della difesa dell'Occidente. Il Msi abbandona la sua linea antiamericana già nel 1952. Per le altre formazioni, invece, il processo è un po' più lento ma giunge comunque a maturazione grazie anche al dibattito culturale alimentato da pensatori come Carl Schmitt e Karl Jaspers.

Jaspers, l'esistenzialista tedesco che, con Croce e Silone, fu tra i fondatori del Congresso per la libertà della cultura nel 1950 a Berlino?

Sì...

Come abbiamo appreso dal libro della Saunders, La guerra fredda culturale*, il Congresso era lo strumento palese del programma occulto di guerra psicologica della Cia. Tra i suoi compiti c'era anche quello di esercitare, attraverso l'uso pianificato della propaganda, «influenza su opinioni, atteggiamenti, emozioni e comportamenti di gruppi stranieri al fine di favorire il conseguimento di obiettivi nazionali». Le chiedo, allora: è possibile che la stessa operazione di "infiltrazione culturale" della sinistra marxista sia stata compiuta anche nei confronti della destra radicale?*

Ne sono sempre più convinto. Uno degli obiettivi della politica "italiana" dell'amministrazione Usa è sempre stato quello di erodere le aree di influenza delle posizioni antiamericane e antisistema. Era una politica di stabilizzazione al centro, diciamo così, tenacemente perseguita, in vario modo e con diversa intensità, a seconda dei presidenti, dei loro ambasciatori a Roma e dei capi della Cia, sia sul fronte comunista che su quello della destra estrema. Nei confronti della destra, come abbiamo visto, questa politica è iniziata addirittura nella fase finale della guerra, attraverso il reclutamento di funzionari del regime fascista o repubblichini. Ed è proseguita durante la guerra fredda con l'operazione dei Nuclei di difesa dello Stato e successivamente con la cooptazione del Msi nella World Anti-Communist League, l'internazionale anticomunista fondata dalla Cia nel 1967.

La destra estrema rinuncia all'opzione antiamericana, ma resta profondamente legata al nazifascismo, rifiuta il modello di vita e di società americana, perché resta autoritaria, illiberale e tradizionalista. Come viene vissuto, da entrambi i contraenti, questo patto anticomunista?

Come un matrimonio di interesse. Il rapporto è di doppia strumentalizzazione. Gli uni pensano di utilizzare gli altri. Ma con obiettivi coincidenti solo fino a un certo punto. Per l'anticomunismo democratico, l'obiettivo è quello di contenere l'espansione del Pci, stabilizzando il sistema politico intorno ai partiti di governo, anche attraverso soluzioni forti. Per i fascisti, l'obiettivo è invece quello di riprendersi una rivincita sul 25 aprile, restaurando il regime autoritario. Non è una differenza da poco. I convulsi e drammatici fatti degli anni successivi non si possono comprendere prescindendo da questa contraddizione nel campo anticomunista.

Vediamo, allora. Riprendiamo il filo della politica. L'esperienza di centrosinistra si consuma nel giro di qualche anno, perché la formula non regge di fronte alla pressione sociale.

Il centrosinistra alimentò molte aspettative che però andarono sostanzialmente deluse. Quella politica aveva un limite oggettivo: era condizionata da due opposti estremismi. Da un lato quello moderato, visceralmente anticomunista...

Il partito del "piano Solo"?

Per comodità potremmo definirlo così, rinnovando però un giudizio abbastanza ingiusto verso il generale De Lorenzo, che nel panorama degli apparati di forza dell'epoca non era certamente uno degli elementi più oltranzisti, e ha finito per pagare in maniera eccessiva responsabilità che solo in piccola parte erano sue. Sarebbe più giusto fare riferimento a quella parte del Paese (con i suoi referenti internazionali) che continuava a considerare pericolosi filocomunisti uomini come Moro e Saragat, per non parlare di Nenni. Da un lato, dicevo, l'estremismo anticomunista. Dall'altro, l'estremismo del Pci, che nell'esperienza di centrosinistra vedeva soltanto il pericolo di un proprio isolamento e non, invece, l'elemento potenziale di un'evoluzione complessiva del sistema.

Questa incapacità del gruppo dirigente comunista è da attribuire a un suo limite soggettivo o derivava anche dai condizionamenti interni e internazionali che doveva subire?

Onestamente non mi sento di mettere sul banco degli accusati il gruppo dirigente del Pci, così come non ho mai attribuito eccessive colpe a quelli dei partiti di governo. La situazione era obiettivamente complicata e costringeva tutti a muoversi dentro spazi troppo angusti. Non dimentichiamo che, dopo la breve parentesi della distensione, il mondo era stato di nuovo risucchiato nel clima peggiore della guerra fredda. Kennedy era stato assassinato. Krusciov era stato destituito. E papa Giovanni era morto. Tutto era avvenuto nel giro di un anno, tra il 1963 e il 1964.

Ha dimenticato Togliatti: morì mentre si trovava in vacanza in Urss, a Yalta, nel 1964.

Tra l'altro... La scomparsa improvvisa del suo segretario aprì non pochi problemi all'interno del Pci, dove l'ala secchiana rialzò la testa. Secchia, che nel 1956 era stato destituito da Togliatti e sostituito con Amendola, dopo anni di isolamento, tornò ad agitarsi e a tessere la sua rete. Come Pacciardi sul fronte opposto.

Domanda a bruciapelo: pensa che Togliatti sia stato avvelenato?

Non ho alcun elemento per affermare una cosa del genere. Forse nel Pci qualcuno ci ha pensato, e anche nella Dc. Resta un mero sospetto assolutamente sprovvisto di prove, ma non del tutto inverosimile.

Torniamo al centrosinistra. Stava dicendo del doppio condizionamento.

Onestamente non avrei voluto essere nei panni di Aldo Moro, allora presidente del Consiglio. Da un lato, doveva fare i conti con il "tintinnio delle sciabole". Dall'altro, doveva dare una qualche risposta alla pressione sociale alimentata anche dal Pci. Com'era prevedibile, ben presto, la crisi esplose. Da questo punto di vista, il 1968 è un anno cruciale. Il centrosinistra perde le elezioni politiche, per effetto della frana socialista: il Psi paga la fusione con i socialdemocratici perdendo oltre il 5 per cento, a vantaggio del Psiup (nato da una scissione della sinistra socialista) e del Pci. Sul piano elettorale c'è uno spostamento a sinistra che riflette i fermenti della società, soprattutto del mondo giovanile che è investito dalla rivolta studentesca. Rivolta che precede di poco e già anticipa anche i fermenti dell'autunno caldo operaio.

Come si vive, da una parte e dall'altra, questa fase così ricca di fermenti, ma anche di tensioni?

Su entrambi i fronti l'allarme è al massimo livello. La destra anticomunista è sempre più preda delle sue ossessioni, dato che anche la politica di centrosinistra, dopo quella centrista, si sta esaurendo in una serie di governi balneari. Ma non è solo l'incertezza politica interna a spaventare la destra. È anche l'accresciuta aggressività dell'Urss brezneviana ad alimentare la fobia del comunismo, dopo l'invasione della Cecoslovacchia. Nel partito del "piano Solo", come lo ha definito lei, il timore di un colpo di mano comunista è diventato così forte da determinare un'accelerazione dei progetti discussi nel convegno al Parco dei Principi. Molti ufficiali delle forze armate sono stati reclutati nei Nuclei di difesa dello Stato. E Pacciardi si rifà vivo con un suo movimento di ispirazione gollista, l'Unione democratica per la nuova repubblica, a cui aderiscono, tra gli altri, personaggi come il generale Raffaele Cadorna, uno dei capi dei partigiani bianchi, Giano Accame, ideologo della destra, e Ivan Matteo Lombardi, tra i fondatori del Psdi. È la saldatura anche a livello politico del patto occulto tra anticomunismo bianco e neofascismo.

Dunque, così com'era avvenuto nel 1964 dopo la crisi del centrismo e l'avvio della politica di centrosinistra, la minaccia di un pronunciamento autoritario pende nuovamente sulla politica italiana. Ma questa volta, spostare in avanti l'equilibrio significa coinvolgere il Pci...

La differenza è enorme rispetto al 1964. Questa volta è qualcosa di più di una minaccia, perché dal punto di vista della destra, oltre il centrosinistra c'è il salto nel buio, si supera il limite oltre il quale, per dirla con le parole di Sogno, un anticomunista può sentirsi svincolato dal patto di lealtà nei confronti dello Stato.

Sul fronte opposto la sinistra sicuramente percepisce il pericolo. Ma come si attrezza?

Nel Paese si riproduce in forma ancora più esasperata la simmetria che ha caratterizzato il clima politico-psicologico del dopo guerra: così come la destra vive nell'incubo di un colpo di mano del Pci, la sindrome del golpe fascista si impadronisce della sinistra. Non dimentichiamo, poi, che in quel periodo è appena esploso il caso De Lorenzo. Grazie alle rivelazioni di Eugenio Scalfari e Lino Jannuzzi sull'«Espresso», il Paese ora sa del "piano Solo" e dei tentativi di insabbiamento delle relative inchieste. In quel clima la struttura paramilitare del Pci si riattiva per fronteggiare l'evenienza:

viene predisposta una rete logistica per la protezione dei gruppi dirigenti, a cui nei momenti più critici si consiglia di non dormire mai più di due notti nello stesso posto; si preparano piani per la mobilitazione generale in caso di necessità; e molti partigiani sono pronti a imbracciare nuovamente le armi, quelle stesse armi che, dopo la guerra, hanno custodito in depositi segreti.

Il Pci percepiva solo degli umori dal fronte opposto o aveva precisa conoscenza di quello che si stava preparando?

Come ho già spiegato, così come il Pci era costantemente monitorato da servizi segreti, polizia e carabinieri, che sapevano tutto sui suoi movimenti, allo stesso modo il Pci aveva informazioni quasi in tempo reale sui progetti degli oltranzisti atlantici. La sua organizzazione paramilitare funzionava anche come una centrale di intelligence che agiva in stretto rapporto con la rete degli agenti Kgb in Italia.

Secondo lei, il gruppo dirigente del Pci era in grado di gestire la situazione? O c'era il rischio che la macchina antigolpista sfuggisse al suo controllo?

Ecco, questo era il problema. Dalla fine della guerra e per tutti gli anni Cinquanta, fino a metà dei Sessanta, i gruppi dirigenti del partito erano riusciti a governare anche le situazioni più difficili. Ora la situazione era notevolmente cambiata. Intanto, come ho appena detto, la componente insurrezionalista secchiana stava rialzando la testa. Poi, per la prima volta, sull'onda della protesta giovanile, si stava formando alla sinistra del Pci un'area politica dichiaratamente rivoluzionaria: la sinistra extraparlamentare, che era in forte contrapposizione con il revisionismo del gruppo dirigente comunista. E infine, c'erano i sovietici. Il Pcus, dopo la destalinizzazione krusciovìana, era stato normalizzato dalla leadership brezneviana, che restaurò i tratti più repressivi del regime interno, ma soffocò anche i fermenti nei Paesi satelliti. Era di Breznev la dottrina della “sovranità limitata”, non dimentichiamolo. Quella dottrina era valida non solo all’interno del Patto di Varsavia, ma anche nei confronti dei partiti comunisti del campo occidentale. E in Italia i sovietici continuavano ad avere un problema: il gruppo dirigente del Pci.

E quel problema si era accentuato dopo la condanna dell’invasione della Cecoslovacchia da parte di Luigi Longo, successore di Togliatti?

Sì, e ancora di più dopo la malattia di Longo, quando Enrico Berlinguer venne eletto vicesegretario: i sovietici diffidavano di lui. E a ragione, dal loro punto di vista, alla luce degli sviluppi successivi.

E dunque, come affrontano il “problema italiano”?

Soffiando sul fuoco della sinistra extraparlamentare, per creare problemi al vertice del Pci. Si ricostituisce infatti un vecchio sodalizio, quello tra Secchia e l’editore Giangiacomo Feltrinelli. Questa volta, con un progetto ambizioso: la costruzione del Partito rivoluzionario; e con degli interlocutori: i nuovi soggetti politici nati alla sinistra del Pci dopo il Sessantotto. Oltre, naturalmente, a quella vasta area della base comunista che non ha mai digerito la via italiana al socialismo. E che ora, di fronte al pericolo insorgente della destra autoritaria, trova nuovi stimoli rivoluzionari.

5
La guerra civile a bassa intensità

Insomma, così come Moro e i dirigenti democristiani dovevano fare i conti con Pacciardi, Sogno e i loro referenti nei settori più oltranzisti dell'amministrazione americana, la spina nel fianco di Longo e Berlinguer erano Secchia, Feltrinelli e i loro referenti nei settori più conservatori del Pcus?

Questa, nella sostanza, è la situazione alla fine degli anni Sessanta. Vengono al pettine tutti i nodi dell'anomalia italiana. In una democrazia compiuta, come ho già spiegato, di fronte alla crisi del centrosinistra, il Pci sarebbe dovuto andare al governo per attuare una politica capace di disinnescare le tensioni sociali, per offrire una risposta in termini di riforme alla dilagante protesta studentesca e operaia. Saliva dal Paese una domanda di cambiamento che non poteva essere soddisfatta perché al partito di opposizione era precluso l'accesso al governo, in quanto comunista. E i partiti di maggioranza non potevano attuare riforme profondamente innovative, per non spaventare i moderati.

Però, fino a quel momento, come lei ha spiegato, le forze politiche erano sempre riuscite a trovare un accomodamento, un punto di equilibrio, uno sfogo...

Ci provano anche nella nuova situazione. Nel febbraio 1969, Longo è ammalato e Berlinguer chiude il congresso del Pci, lo stesso in cui viene eletto vicesegretario. In quell'occasione dà un assaggio di quella che sarà la sua politica: mentre da un lato accentua la critica ai sovietici sulla questione cecoslovacca, dall'altro lancia segnali in direzione dei socialisti e della Dc. Poco dopo, a giugno, si ripete, e questa volta addirittura nella tana del lupo: a Mosca, durante la Conferenza internazionale dei partiti comunisti, non solo ribadisce le sue critiche per l'invasione cecoslovacca, ma rompe il fronte dei "partiti fratelli", rifiutandosi di condannare gli eretici cinesi, come chiedeva Breznev, e rivendicando la propria autonomia dal Pcus. Quel discorso irritò i sovietici e fece un'impressione enorme in Occidente.

Un discorso indirizzato anche ai suoi interlocutori italiani?

Naturalmente. Pochi giorni dopo, infatti, Moro interviene in una riunione della direzione Dc e annuncia la sua "strategia dell'attenzione" nei confronti dei comunisti. Mentre Francesco De Martino, appena eletto segretario del Psi, nel mese di luglio di quello stesso 1969, inaugura la sua gestione con la proposta di "equilibri più avanzati".

Qual era, secondo lei, lo sbocco previsto da Berlinguer, Moro e De Martino: il governo con il Pci?

No, questo non lo credo. Certo, la prospettiva esisteva, ma era collocata su uno sfondo remoto. E comunque, almeno nelle intenzioni di Moro, era subordinata a un'evoluzione assai più marcata del Pci, tale da rendere sicuro e credibile, agli occhi dell'Occidente, il suo approdo democratico e antisovietico. Diciamo che si era aperta una strada che comunisti, democristiani e socialisti avrebbero dovuto percorrere insieme. Che cosa potesse esserci alla fine di quella strada, lo si poteva più o meno intuire. La durata del viaggio, le varie tappe e i possibili ostacoli da superare, costituivano invece un'incognita. Ma bastò aprire una prospettiva che in qualche modo rimetteva in discussione l'equilibrio, perché dai settori estremisti di entrambi i fronti si gridasse al tradimento e si scatenasse la reazione.

Tra l'altro, proprio in quei mesi Sogno decide di abbandonare la carriera diplomatica e rientra in Italia per rituffarsi nella battaglia politica.

Compie quella scelta in contrasto con il governo di una repubblica in cui «non ci si riconosce più», come lui stesso ha dichiarato nella sua intervista postuma, e in polemica con il "duo" Moro-Fanfani, contro cui ha scritto «rapporti di fuoco». Di Moro, in particolare, Sogno denuncia la «costante opera di contrasto della politica degli Stati Uniti», che raggiunge il culmine durante la Guerra dei sei giorni, nel 1967, quando «fece dichiarare da Ortona alle Nazioni Unite che la posizione italiana era di equidistanza tra arabi e israeliani».

Sull'altro versante, invece, con un articolo su «Rinascita», Secchia ha riacceso le passioni della sinistra comunista polemizzando duramente con Amendola, che ha osato criticare l'estremismo del movimento studentesco del Sessantotto.

Riletto oggi, quell'articolo di Secchia fa venire i brividi. Vale la pena di citarne un brano: «La rivoluzione non si è mai fatta nell'ordine. Anche per quanto riguarda le forme di lotta [...] non si può, da un lato, preparare le masse a condurre forti lotte economiche e politiche, a impegnare una lotta più decisa contro la Nato e il Patto Atlantico, a saper fronteggiare eventuali tentativi di colpi di Stato e, dall'altro lato, sparare a zero contro i giovani che sanno affrontare la polizia, che si allenano alle lotte più dure».

Dall'allenamento alla pratica vera e propria il passo fu breve.

Purtroppo. Dopo le fiammate del luglio 1960 e le tensioni dell'estate 1964, quella che era sempre stata una guerra civile allo stato potenziale, nel 1969 degenera in una sorta di guerra civile, sia pure a bassa intensità. Perché, su questo, credo che non ci possa essere ormai più alcun dubbio: la reazione si scatenò proprio in coincidenza con l'apertura di una nuova fase politica che in qualche modo rimetteva in gioco il Pci.

È il 12 dicembre 1969, data della strage di piazza Fontana a Milano, l'inizio della guerra civile a "bassa intensità"?

No, non è piazza Fontana. La guerra civile esplode molti mesi prima. Ricordiamo che cos'era l'Italia tra il gennaio e il dicembre del 1969? Manifestazioni studentesche e operaie che degeneravano sistematicamente in scontri con le forze dell'ordine, con morti e feriti. Le aggressioni fasciste e le risposte dell'estrema sinistra. E poi il crescendo di attentati a uffici pubblici, sedi di partito, treni e banche...

Un'esplosione spontanea di odio politico-ideologico o c'era una regia dietro tutto questo?

Entrambe le cose. Il disagio giovanile e operaio aveva motivazioni reali. Nasceva, come ho cercato di spiegare prima, da una esigenza frustrata di cambiamento a tutti i livelli. Affondava una delle sue radici nel bisogno di libertà, contro ogni forma di autoritarismo: nelle fabbriche, nelle scuole e nelle università, nelle caserme, in famiglia, nei rapporti individuali. La protesta giovanile era parte di un movimento che scuoteva il mondo intero, la cui scintilla era scoccata nelle università e nei ghetti neri dell'America, contro la guerra in Vietnam e le discriminazioni razziali, per la difesa dei diritti civili. Una rivolta libertaria che però, in Italia, assunse immediatamente forti connotati ideologici per trasformarsi in lotta antifascista e in lotta rivoluzionaria per il comunismo. Penso, ovviamente, che anche sull'altro versante, quello fascista, ci fossero ragioni profonde che giustificassero una scelta di militanza. Quei giovani pensavano anche loro di battersi per qualcosa, per un'idea, sia pure già sconfitta dalla storia, per valori in cui credevano e che vedevano minacciati dal nemico comunista. Ecco, tutto questo germogliò spontaneamente. Ma eravamo in piena guerra fredda. E sarebbe da sciocchi pensare che il gioco non potesse anche essere truccato.

Truccarono il gioco? Ci fu chi soffiò sul fuoco per alimentare l'odio e la violenza?

Ci fu chi, da un lato e dall'altro, gettò benzina sul fuoco per radicalizzare lo scontro e innalzarne sempre più il livello. Elementi fascisti furono utilizzati per infiltrare come agenti provocatori i gruppi dell'estrema sinistra; e a loro volta furono indotti dai loro capi (uomini della rete dei Nuclei di difesa dello Stato) a compiere attentati. Questo è certo, e lo schema oggi ci appare molto più chiaro: si provocavano disordini durante le manifestazioni dell'estrema sinistra per indurre le forze dell'ordine a reprimere con violenza, sapendo che la violenza delle forze dell'ordine avrebbe innescato una nuova reazione dell'estrema sinistra... C'era chi giocava a esacerbare gli animi.

Ma non erano solo i provocatori fascisti infiltrati nei gruppi dell'estrema sinistra, che giocavano a esacerbare gli animi. Lei ha appena citato alcune parole di Secchia, e c'era anche una famosa casa editrice di sinistra che sfornava manuali di guerriglia...

La Feltrinelli, sì. Nel marzo 1969, Secchia pubblica da Feltrinelli uno dei manuali di cui parla lei, *La guerriglia in Italia*, in cui si spiegano le tecniche di sabotaggio dei partigiani e dei Gap.

Ricorda anche le istruzioni impartite sul tema «distruzione di piloni»?

Ricordo benissimo, certo: «Far saltare di preferenza i piloni delle linee ad alta tensione, operazione più facile e assai efficace. Servirsi sempre di gelatina, tritolo o plastico. Mettere la polvere in tubo flessibile che abbia pressappoco la circonferenza del pilone che si voglia abbattere e poi collocarlo sul pilone stesso all'altezza di tre o quattro metri in modo da ottenere più facilmente la sua caduta una volta spezzato. Se si mettesse l'esplosivo all'altezza stessa del pilone si rischierebbe di vederlo restare in piedi anche se la troncatura riuscisse perfetta. Scegliere sempre il pilone che si vuole abbattere o in una curva della linea o in un cumulo in modo che, nella caduta del pilone, il filo, prendendo la linea diretta, si allunghi e tocchi più facilmente il suolo...». Sì, ricordo. Ricordo benissimo.

È in quel clima, dunque, che matura la strage di piazza Fontana?

Piazza Fontana è il culmine di quell'incredibile e pazzesco crescendo di tensione.

Fu davvero una strage fascista, come si è sempre creduto? Oppure oggi, alla luce delle sentenze di assoluzione degli imputati, si può ipotizzare qualcosa di diverso?

Guardi, di piazza Fontana oggi non si sa ancora soltanto chi ha materialmente deposto la bomba nella banca dell'Agricoltura, perché ci sono stati troppi depistaggi e molti testimoni sono morti in circostanze misteriose o sono stati ammazzati. Ma che l'attentato sia stato organizzato da cellule ordinoviste con la copertura di settori degli apparati dello Stato è fuori discussione. Lo posso affermare con assoluta certezza proprio sulla base dell'immensa mole di materiale giudiziario che si è accumulato nel corso degli anni e, ovviamente, dei risultati del nostro lavoro alla Commissione stragi. Certo, è possibile che, a un livello alto, da dove partivano le direttive, ci sia stato il concorso di diverse mani. Allo stato dei fatti, però, questa è soltanto un'ipotesi autorizzata da un'inchiesta che sembra non chiudersi mai, quella sulla strage avvenuta a Brescia nel 1974. Quei magistrati hanno individuato un'area di possibile contaminazione tra rossi e neri, seguendo la pista di una "tecnostruttura"[1] che potrebbe aver manovrato contemporaneamente sia il terrorismo nero che quello di sinistra.

Piazza Fontana è dunque il punto più alto della tensione. Che cosa si prefiggevano organizzatori e mandanti della strage?

Ha fatto bene a distinguere tra mandanti e organizzatori, perché gli obiettivi non erano del tutto coincidenti. Con quella strage, che doveva essere attribuita alla sinistra, gli organizzatori fascisti si proponevano infatti di provocare un'ondata emotiva nell'opinione pubblica favorevole a un vero e proprio colpo di Stato. I mandanti, invece, più che a un golpe, puntavano a una soluzione gollista: un governo forte, con poteri eccezionali, che ricacciasse nell'angolo i comunisti e garantisse al Paese una guida stabile e duratura, magari con il supporto di un'adeguata riforma costituzionale.

In quale maniera, golpe o soluzione gollista che fosse, organizzatori e mandanti della strage si prefiggevano di raggiungere lo scopo?

Mariano Rumor, che all'epoca presiedeva un governo monocolore democristiano, avrebbe dovuto dichiarare lo stato di emergenza. E a quel punto, secondo i piani della destra, il principe Junio Valerio Borghese, comandante della X Mas durante la guerra e fondatore di Avanguardia nazionale, avrebbe attuato il golpe assumendo le redini del governo. Secondo i piani dei "gollisti", invece, il capo dello Stato avrebbe affidato l'incarico a un uomo forte, al Merzagora o al Pacciardi della situazione.

E invece non andarono in porto né il golpe né la soluzione gollista. Perché?

Ammesso e non concesso – di ciò non vi è alcuna prova – che Rumor avesse assunto qualche impegno, certo è che non dichiarò lo stato d'emergenza, colpito o spaventato dalla reazione popolare alla strage. Il golpe Borghese fu rinviato di un anno, ma fallì proprio in dirittura d'arrivo, perché all'ultimo momento vennero a mancare gli appoggi internazionali promessi o millantati. La verità è che anche nei circoli più oltranzisti dell'atlantismo sapevano che in Italia non ci si poteva spingere oltre un certo limite, perché non solo ci sarebbe stata una reazione durissima, ma il fronte antifascista, diviso dalla guerra fredda, si sarebbe ricompattato. Il "tentativo gollista", invece, è rimasto per molto tempo, con alterne fortune, ad aleggiare sulla politica italiana. Con il fallito golpe Borghese dell'8 dicembre 1970, si chiude comunque una fase. Quello che avviene dopo, con le altre stragi fasciste, è una storia un po' diversa.

La bomba alla questura di Milano, l'attentato di Peteano, le stragi in piazza della Loggia a Brescia, e sul treno Italicus: perché tutto questo è una storia diversa?

Il progetto di colpo di Stato fascista di Junio Valerio Borghese parte con piazza Fontana e si esaurisce la notte dell'8 dicembre 1970. Le stragi che vengono dopo vanno lette in uno scenario diverso. Fallito il golpe, prima perché Rumor non dichiara lo stato d'emergenza e poi perché gli apparati scaricano all'ultimo momento il principe Borghese, i fascisti si sentono traditi. E decidono di continuare da soli, colpendo anche lo Stato. La bomba esplosa alla Questura di Milano, per esempio, era anche contro Rumor, che in quel momento stava scoprendo una lapide in memoria del commissario Luigi Calabresi, assassinato dal servizio d'ordine di Lotta continua. La bomba di Brescia doveva fare strage dei carabinieri in servizio durante la manifestazione sindacale. E l'attentato di Peteano, in cui persero la vita tre carabinieri, aveva lo stesso significato: la lotta continua anche contro lo Stato traditore.

I fascisti continuano da soli. E intanto, sul fronte dell'estrema sinistra, si è compiuto un salto di qualità, con il passaggio dalle parole ai fatti: sono nate le Brigate rosse...

Devo dire che, su questo punto, un contributo fondamentale è venuto da Alberto Franceschini, nell'intervista sulla storia delle Brigate rosse pubblicata recentemente da Rizzoli. Il fondatore delle Br ci ha fatto capire con estrema chiarezza molte cose che prima si intuivano soltanto.

Tra le altre cose, Franceschini corregge una vulgata secondo cui la lotta armata in Italia è diretta conseguenza della strage di piazza Fontana: in realtà ci si stava preparando da molto tempo prima. Lei è d'accordo?

Questo è un punto importante per decifrare l'intera storia italiana del dopoguerra. Piazza Fontana e la sindrome del golpe fascista accelerano le decisioni, ma il filo della violenza di sinistra, come abbiamo visto, parte dalla Resistenza e si dipana, attraverso l'esperienza della Volante rossa, lungo gli anni immediatamente dopo il 25 aprile. E in seguito, quando sul Paese cala la bonaccia, la sorgente non si estingue. Franceschini ci ha raccontato come nella sua Reggio Emilia, nelle sezioni del suo partito, il Pci, molti ex partigiani e militanti vivessero perennemente in attesa del segnale dell'insurrezione armata.

Resta il fatto che il "partito della lotta armata", in sonno o attivo che fosse, è stato sempre alimentato dalla paura di un ritorno fascista.

Fuori discussione. Quello che sto cercando di dire è che la paura del fascismo ha alimentato la lotta armata, ma quella del comunismo ha alimentato la reazione di destra. Oserei dire persino che l'una ha legittimato l'altra, perché l'esistenza dell'una giustificava l'esistenza dell'altra. Per tornare al salto di qualità, direi che da questo punto di vista è strategica la figura di un personaggio come Feltrinelli, editore dalle solide relazioni non solo con il regime castrista cubano, ma anche con l'Urss e con la Cecoslovacchia. È lui che, nel 1969, riprende il filo dell'esperienza partigiana, fonda i Gap ed entra nella clandestinità: è il salto verso la lotta armata.

Un romantico visionario, come ha cercato di dipingerlo una certa storiografia di sinistra, o un uomo lucido che perseguiva un preciso disegno politico?

Mi verrebbe da risponderle che era un romantico visionario al servizio di un lucido disegno politico. Più mi addentro nella conoscenza del personaggio e più mi convinco di questo.

Qual era il disegno politico?

Mettere il bastone tra le ruote al Pci di Berlinguer e al suo dialogo con Moro, impedendogli di consumare fino in fondo quello che lui considerava un tradimento degli ideali della Resistenza e della rivoluzione socialista. E voleva farlo, come ci ha raccontato Franceschini, unendo in un unico partito della lotta armata tutte le forze rivoluzionarie: i secchiani, Potere operaio, Lotta continua, il gruppo del Manifesto, che era appena stato radiato dal Pci, e le neonate Brigate rosse.

Anche sulla genesi del terrorismo di sinistra il racconto di Franceschini è illuminante. Lei ha già evocato l'atmosfera nelle sezioni comuniste di Reggio Emilia. Ma lui aggiunge altri dettagli: per esempio, i rapporti con i partigiani di Moranino, il braccio destro di Secchia.

È impressionante il fatto che nel 1970, già clandestini, i capi delle Brigate rosse (Renato Curcio, Franceschini e Mara Cagol) si addestrassero all'uso delle armi nella Valsesia, in Piemonte, sotto la protezione dagli ex partigiani di Moranino, e che Moranino stesso incontrasse i tre brigatisti alle feste partigiane del 25 aprile. E tutto questo avveniva nelle zone in cui Secchia era eletto al Parlamento. D'altro canto, Taviani, sentito in Commissione, dimostrò di avere precise certezze in merito, quando con chiarezza ci disse che Secchia e i secchiani erano all'origine delle Br.

Franceschini dice anche che Feltrinelli curava per conto del vertice brigatista i rapporti con l'Urss e la Cecoslovacchia. Lei lo sapeva?

No, è stata una notizia clamorosa, e sono davvero sconcertato dal fatto che nessuno vi abbia prestato attenzione. La testimonianza di Franceschini, che io ritengo assolutamente attendibile, consente di mettere un punto fermo sui rapporti delle Brigate rosse, almeno delle prime Br, con settori del Pci e con i Paesi socialisti. Curcio e Franceschini si incontravano periodicamente con Feltrinelli. Tutti e tre avevano relazioni con Secchia e Moranino. E Feltrinelli, Secchia e Moranino erano uomini con rapporti e basi a Mosca e a Praga.

Dalla Cecoslovacchia passa un altro filo, quello che collega all'esperienza di Roberto Dotti, come abbiamo visto. Quando rientra da Praga, Dotti va a lavorare con Sogno, a Pace e Libertà. Poi, i due si separano. Nel 1970, cioè proprio nel periodo di cui stiamo parlando, Sogno rientra in Italia per riprendere la sua battaglia contro i comunisti, fonda i Comitati di resistenza democratica e richiama Dotti al suo fianco. Nel frattempo – è Sogno che racconta – Dotti ha trovato un impiego come direttore alla Terrazza Martini, a Milano...

Guardi, quando ho letto nell'intervista a Franceschini che i brigatisti rossi compilavano questionari con notizie sulla loro vita privata e persino sulle loro abitudini più intime, e che le loro risposte venivano consegnate a Dotti, alla Terrazza Martini, ho avuto dei brividi nella schiena. Quello era una specie di esame per essere ammessi nel superclan di Corrado Simioni, una struttura delle Br a un livello ancora più occulto. Mi chiedo allora: che uso faceva, Dotti, delle informazioni sui brigatisti che riceveva da Simioni? Era lui che decideva chi accogliere e chi no nel superclan?

Secondo lei, Sogno sapeva dei legami di Dotti con Simioni?

Non lo so. Ma è assai probabile che sapesse. Anche perché la segretaria di Simioni, come racconta Franceschini, era l'assistente di Manlio Brosio[2], segretario generale della Nato, e uno dei protettori di Sogno.

È ipotizzabile un ruolo di Dotti nella "tecnostruttura" individuata dalla magistratura di Brescia, quella che avrebbe utilizzato sia il terrorismo nero che quello rosso?

Non saprei, onestamente. Però la biografia del personaggio (la militanza nella Volante rossa e i rapporti prima con i cecoslovacchi e poi con ambienti dell'oltranzismo atlantico) può anche autorizzare un'ipotesi del genere. I due opposti estremismi, pur assolutamente inconciliabili tra di loro, avevano però entrambi interesse a radicalizzare lo scontro per far fallire il dialogo tra Moro e Berlinguer. Almeno in questo, i loro interessi erano convergenti. Non mi stupirei, dunque, se in un ambiente ovattato avessero trovato una qualche intesa tattica.

Miriam Mafai, nella sua biografia di Secchia, cita alcuni brani di una nota che il dirigente comunista aveva trascritto da un manuale pubblicato in quel periodo dalla Feltrinelli, La guerriglia come rivoluzione, *di Robert Taber. Posso citarle alcune frasi?*

È un libro che conosco abbastanza. Ma citi pure.

«L'effetto secondario del terrorismo se non il suo scopo, è poi quello di portare a un controterrorismo, che serve alla causa dei ribelli meglio di qualsiasi stratagemma che i ribelli stessi possano escogitare». Che impressione le fa?

È la logica a cui si è ispirata tutta l'azione prima delle organizzazioni dell'extrasinistra, poi delle Brigate rosse: agire con violenza per provocare una reazione che svelasse la vera natura del nemico, per meglio combatterlo. Lo teorizzava anche Sogno, dal versante opposto: bisognava costringere i comunisti a venir fuori, a svelare la loro vera essenza autoritaria e antidemocratrica, per meglio combatterli. Lo dicevo prima: gli uni avevano bisogno degli altri per giustificare la propria esistenza e le proprie azioni. E gli sforzi di entrambi potevano convergere tatticamente sullo stesso obiettivo: mettere in crisi le politiche moderate dei rispettivi campi e troncare il dialogo nascente tra Moro e Berlinguer. Continuerò a ripeterlo anche a costo di apparire ossessivo, ma non si può comprendere nulla di quello che accade dopo, se non alla luce di questa elementare verità. Che cosa fanno Sogno e Secchia, quasi simultaneamente? Il primo, subito dopo aver fondato i Comitati di resistenza democratica, vincola i suoi amici a un giuramento: quello di sparare contro quei democristiani che avessero fatto il governo con il Pci. E il secondo, come scrive Miriam Mafai, «lamenta lo scarso aiuto che viene dato dal Pcus e da Breznev alla lotta contro il revisionismo dei partiti comunisti occidentali».

6
Moro e Berlinguer

A Mosca ascoltano il lamento di Secchia sullo scarso aiuto alla lotta contro il revisionismo?

Il 14 marzo 1972 a Milano si stava svolgendo il congresso del Pci che avrebbe eletto Berlinguer segretario al posto di Longo. E Feltrinelli aveva deciso di sabotarlo facendo mancare la corrente elettrica. Per questo si era arrampicato su un traliccio dell'alta tensione, a Segrate, per farlo saltare in aria con una bomba. Con il suo dissenso sulla Cecoslovacchia, Berlinguer aveva creato parecchi problemi non solo ai leader di Mosca, ma anche alla nuova dirigenza conservatrice di Praga. Gustav Husak, il successore di Alexander Dubcek, il riformista destituito con i carri armati, aveva più volte espresso le proprie rimostranze per l'«ingerenza del Pci nelle vicende interne della Cecoslovacchia». Il gesto di Feltrinelli doveva dunque segnare l'inizio della guerra contro Berlinguer. Solo che, per un difetto del timer, la bomba esplose in anticipo: la morte di Feltrinelli, quel giorno, fu un incidente sul lavoro.

A proposito: incidente dovuto al caso, o "indotto", come sospettavano i brigatisti rossi, che sulla morte di Feltrinelli fecero subito una loro inchiesta?

Qui però si apre un altro scenario. Io non so se si trattò di un incidente simulato. Del resto, l'inchiesta condotta dal giudice milanese Ciro De Vincenzo ha escluso questa ipotesi. Però mi ha colpito un particolare rivelato da Franceschini proprio sul timer della bomba che Feltrinelli stava piazzando sul traliccio: era un orologio Lucerne, dello stesso tipo di quello utilizzato due anni prima per un attentato all'ambasciata americana ad Atene. E anche in quel caso, la bomba esplose in anticipo causando la morte dei due giovani attentatori. Fu Corrado Simioni a organizzare l'attentato di Atene, lo disse lui stesso a Curcio e a Franceschini. E Simioni conosceva molto bene anche Feltrinelli. Con questo non voglio dire che, se Atene e Segrate erano delitti camuffati da incidenti, l'assassino è Simioni. Non voglio neppure sfiorare un'ipotesi del genere, non avendo alcun elemento serio su cui fondarla. Mi interessa di più, invece, evidenziare l'esistenza di un canale che meriterebbe di essere approfondito: quello tra Feltrinelli e Simioni, e tra Simioni e Dotti.

E tra Dotti e Sogno, aggiungerei a questo punto.

E tra Dotti e Sogno, certamente. E questo è un altro indizio di una certa contiguità fra i due opposti estremismi. Nel caso di Feltrinelli, non è nemmeno l'unico. Nel sabotaggio alla linea dell'alta tensione, fra i suoi complici, c'era uno strano personaggio, un certo Gunter, un ex partigiano bianco che aveva combattuto nella brigata dei Fratelli Di Dio[1]. Non solo. A due/trecento metri dal traliccio di Segrate, c'era un capannone di Carlo Fumagalli, un ex partigiano bianco coinvolto nella strage di Brescia: sul pavimento vennero trovati diversi mozziconi delle sigarette preferite da Feltrinelli, le Senior service. Di un possibile rapporto tra Feltrinelli e Fumagalli, ci parlò apertamente in Commissione il magistrato Arcai, che aveva a lungo indagato sulla bomba di piazza della Loggia.

A proposito di coincidenze, poche settimane prima che Feltrinelli perdesse la vita, Secchia era stato ricoverato in ospedale con i sintomi di un avvelenamento; non si riprese più e un anno dopo morì.

È un'altra coincidenza impressionante. Che si fosse trattato di un avvelenamento, tra l'altro, lo aveva diagnosticato per iscritto il professor Giuseppe Giunchi, il medico che lo aveva in cura presso la Clinica Nuova Latina di Roma.

Durante i funerali di Feltrinelli e di Secchia, a cui parteciparono migliaia di militanti della sinistra rivoluzionaria, si levarono slogan contro la Cia, sospettata di averci messo lo zampino. Lei ha qualche opinione in proposito?

Non so se Secchia sia stato effettivamente avvelenato e da chi, o se Feltrinelli sia stato davvero ucciso. Non lo so, francamente. Certo è che, tra il 1972 e il 1974, spariscono dalla scena molti dei personaggi coinvolti nelle trame nere e nella violenza di sinistra. Abbiamo parlato di Feltrinelli e Secchia. Ma in quello stesso periodo, come ci ha rivelato Franceschini, il Pci convoca i brigatisti rossi che avevano un qualche legame con la storia comunista e offre loro una via d'uscita: consegnatevi al magistrato nostro amico Ciro De Vincenzo e lui vi farà tornare a casa puliti, a condizione che abbandoniate definitivamente la lotta armata. Alcuni accettano il patto, per esempio quelli del gruppo di Corrado Simioni, che se ne vanno a Parigi e lì fondano la scuola di lingue Hyperion. Altri, come Curcio e Franceschini, rifiutano. Però, subito dopo, i carabinieri dei nuclei speciali antiterrorismo del generale Dalla Chiesa li arrestano.

E sul fronte dell'estrema destra?

Junio Valerio Borghese, per esempio, muore in circostanze misteriose. Il capo di Avanguardia nazionale Stefano Delle Chiaie, in Commissione, parlò di avvelenamento. Sciolgono Ordine nuovo e decine di militanti vengono arrestati, molti perdono la vita durante scontri a fuoco con i carabinieri o in incidenti stradali. E Taviani e Andreotti si sbarazzano di Sogno e Pacciardi, inviando a Luciano Violante, all'epoca giudice istruttore a Torino, le carte per inquisirli. Insomma, è un'ecatombe.

Forse sono un po' troppe le coincidenze che si verificarono nel breve lasso di tempo di un paio d'anni, per pensare al caso. Quella che lei ha descritto ha tutta l'aria di un'operazione di disarmo bilaterale: bilanciato e controllato.

Non so se in tutto questo ci fosse una vera e propria strategia. Sicuramente da una parte e dall'altra ci si era resi conto che la situazione aveva superato il limite della tollerabilità, oltre il quale la guerra civile a bassa intensità sarebbe potuta degenerare in uno scontro armato ancora più violento. Voglio dire che in quella fase agirono spinte stabilizzatrici che tendevano a neutralizzare le frange più radicali degli opposti estremismi. Naturalmente non tutti gli episodi che ho citato sono riconducibili a una logica di disarmo, per usare la sua espressione, o di stabilizzazione. In qualche caso, per esempio, la scomparsa o l'allontanamento dalla scena italiana di un testimone ha anche impedito che venissero accertate responsabilità o connivenze a un livello più alto, e quindi ha consentito che la radice della degenerazione restasse in vita. Ci si liberò insomma di una pericolosa zavorra, ma non venne certo abbandonato l'obiettivo di spezzare il dialogo tra Moro e Berlinguer.

Quel dialogo venne addirittura formalizzato in una strategia politica, il "compromesso storico" tra le forze comuniste e cattoliche, lanciata da Berlinguer nell'autunno del 1973 attraverso una serie di articoli sul settimanale del Pci, «Rinascita». Al di là delle opposizioni occulte e dei complotti per farla fallire, quella strategia incontrò un'opposizione fortissima anche nel Paese. Perché, secondo lei?

Perché il Paese non era ancora maturo per una politica di quel genere, era ancora troppo diviso sulla base di opposte opzioni ideologiche e opposte visioni del mondo. Per cui, l'avversario, in quanto portatore di un modello radicalmente diverso dal proprio, era considerato un nemico. E dialogare con il nemico, equivaleva a un tradimento. Per questo, la strategia del compromesso storico incontrò forti resistenze sia tra i comunisti che fra i democristiani. E poi c'era una parte dell'opinione pubblica intermedia, quella di orientamento laico-socialista, che era terrorizzata dalla sola idea che le due grandi "chiese" potessero incontrarsi. Agli occhi di questa parte del Paese, Dc e Pci, che insieme rappresentavano oltre i due terzi dell'elettorato, erano due forze con ideologie in qualche modo totalizzanti, illiberali.

Berlinguer si spinse dunque troppo avanti, peccò di avventurismo politico?

Io penso che la funzione di un leader debba essere quella di guardare più lontano della base sociale che rappresenta. Un leader è veramente tale se ha, da un lato, il senso della realtà e, dall'altro, quello della prospettiva. Berlinguer aveva entrambe le cose. E in più, era determinato. Aveva un carattere forte, che gli derivava dall'essere un sardo e che ne accresceva il carisma.

Ma della sua strategia che cosa pensa?

La proposta del compromesso storico era, nello stesso tempo, la risposta più adeguata alla situazione e l'unica prospettiva di evoluzione della democrazia italiana. Berlinguer, come Moro del resto, era convinto che il sistema nato dal compromesso democratico stipulato dopo la guerra da De Gasperi e Togliatti non era più in grado di reggere. Perché come abbiamo visto, da un lato, era troppo forte la pressione che saliva da una società in continua evoluzione. E, dall'altro, erano troppo soffocanti i condizionamenti interni e internazionali esercitati dai conservatori di entrambi gli schieramenti. Era dunque necessario un nuovo compromesso democratico.

Il patto tra De Gasperi e Togliatti si fondava sostanzialmente sulla rinuncia da parte democristiana alla messa fuori legge del

Pci, in cambio della rinuncia da parte comunista all'insurrezione armata. Quali potevano essere invece le clausole del patto tra Moro e Berlinguer?

Da parte democristiana, l'impegno a rimuovere la *conventio ad excludendum* nei confronti del Pci, cioè quel tacito accordo tra le forze politiche, all'inizio della guerra fredda, per escludere i comunisti dal governo nazionale. E in cambio, da parte del Pci, l'impegno ad accentuare sempre più la critica al modello sovietico e ad ancorare sempre più saldamente la propria politica alle esperienze delle socialdemocrazie europee. Per usare un'espressione del linguaggio politico dei giorni nostri, potrei sintetizzare ancora meglio i termini del nuovo patto dicendo che Moro e Berlinguer, col tempo, volevano trasformare l'Italia in un "Paese normale", simile cioè alle altre democrazie occidentali, dove il ricambio alla guida del governo è un fatto accettato senza traumi né drammi. In altre parole, volevano superare un sistema politico che, come abbiamo visto, si era modellato sugli equilibri di Yalta e sulla cortina di ferro. In una prospettiva lunga, certo, ma l'obiettivo era quello. E i nostalgici della guerra fredda, dell'una e dell'altra parte, lo avevano ben compreso.

Berlinguer lanciò la sua strategia tra l'estate e l'autunno del 1973, attraverso alcuni articoli su «Rinascita». Ricorda dove scrisse l'ultimo di quegli articoli, proprio quello che conteneva la frase: «Ecco perché è necessario un nuovo e grande compromesso storico»?

No, dove lo scrisse?

Era a Sofia, in Bulgaria, in un letto d'ospedale, per le ferite riportate in un gravissimo incidente stradale. Era il mese di ottobre e stava rientrando in Italia dopo un colloquio burrascoso con i dirigenti comunisti bulgari. Sulla strada per l'aeroporto, la sua auto venne investita da un camion militare...

No, non fu un incidente. Con ogni probabilità fu un attentato organizzato dai servizi segreti bulgari su mandato dei servizi sovietico e cecoslovacco. Quando nel 1991 il senatore Emanuele Macaluso rivelò la notizia a «Panorama», sulle prime anch'io reagii con scetticismo e incredulità, come molti dirigenti del Pci. Poi però, a favore di Macaluso, intervenne la moglie di Berlinguer, Letizia, donna di grandissima delicatezza, che in tutta la sua vita era sempre rimasta in disparte. E mi convinsi che Macaluso aveva ragione. E qualche anno più tardi, quando ho potuto leggere il dossier Mitrokhin sull'attività del Kgb, ho capito quanto i sovietici temessero Berlinguer e la sua politica.

Lei ha detto che, se nel 1950 Togliatti fosse morto nell'incidente stradale che ebbe in Val D'Aosta, segretario del partito sarebbe diventato il suo vice, Pietro Secchia. Nel 1973, chi avrebbe sostituito Berlinguer, in caso di decesso?

Secondo la prassi, il responsabile dell'organizzazione, che di fatto era il numero due. Nel 1973, il numero due era Armando Cossutta: il dirigente che, dopo la morte di Secchia, diventò il nuovo referente di Mosca nel Pci. Ovviamente escludo che il mio amico Cossutta possa essere stato il mandante di un attentato al segretario del suo partito. Ma che lui fosse l'uomo su cui i sovietici puntavano per combattere un segretario del Pci in odore di eresia, questo mi sembra davvero fuori discussione. Tant'è che, rientrato da Sofia, Berlinguer convocò un congresso e destituì Cossutta dall'incarico. Proprio come fece Togliatti con Secchia qualche tempo dopo l'incidente della Val D'Aosta.

Il compromesso storico era una politica di lunga prospettiva, come lei ha appena ricordato. Ma non passarono neppure tre anni dal varo di quella strategia, che il Pci era già nell'area di governo: dopo le elezioni amministrative del 1975 e le politiche del 1976, vinte dai comunisti, si aprì infatti una nuova fase, quella della solidarietà nazionale. Perché decisero di bruciare le tappe?

Intanto distinguerei tra compromesso storico e solidarietà nazionale. Il primo era un patto per la normalizzazione della politica italiana sul modello delle democrazie occidentali, basato sull'alternanza al potere tra destra e sinistra. Avrebbe potuto prevedere anche un governo tra Dc e Pci, ma non necessariamente. E in ogni caso aveva tempi di maturazione molto lunghi. La seconda invece era una formula di governo imposta da un'emergenza elettorale che aveva colto tutti di sorpresa, Berlinguer compreso. Certo, che fosse in atto uno spostamento a sinistra, si sapeva già. Ma fino a quel momento l'avanzata comunista era stata costante, però sempre di mezzo punto o di un punto percentuale. Nelle amministrative del 1975 ci fu invece un vero e proprio smottamento, con il tracollo della Dc e il trionfo del Pci, che conquistò quasi tutte le grandi città e nuove regioni. L'anno dopo, nelle elezioni politiche del 1976, la Dc recuperò parecchio, ma il Pci ebbe un nuovo incremento, giungendo addirittura a sfiorare il sorpasso nei confronti dei democristiani. Si creò una situazione del tutto paradossale, con il maggior partito di governo e il maggior partito di opposizione entrambi vincitori delle elezioni politiche. E non si poteva certo far finta di nulla.

Per la prima volta dopo la rottura dell'unità antifascista del 1947, il Pci torna dunque nell'area di governo, sia pure soltanto attraverso un appoggio esterno. Con quale stato d'animo viene accolta la novità negli ambienti oltranzisti?

Può immaginarlo: gettò nel panico gli ambienti più conservatori. Sogno e i suoi amici avevano giurato di sparare contro quei democristiani che avessero fatto il governo con il Pci. E nonostante il suo tentativo di "golpe bianco" fosse stato sventato da Violante, gli ambienti che lo appoggiavano non avevano certo abbandonato i loro propositi. Erano forze importanti, come abbiamo letto nell'intervista postuma di Sogno, anche all'interno dell'Arma dei carabinieri, dell'Esercito, della Marina e dell'Aeronautica. Cossiga, di recente, ha detto: «Credo che ci sia stato un momento in cui parte dell'apparato dello Stato abbia ritenuto che si dovesse mettere al sicuro l'atlantismo del nostro Paese. Questo è avvenuto negli anni dell'avvicinamento tra Dc e Pci, durante la politica della solidarietà nazionale»[2]. In quel periodo, numerosi ufficiali delle nostre forze armate si accordarono tra loro per disubbidire, diciamo così, agli ordini delle gerarchie politiche e militari.

In che modo, dal momento che Sogno e Pacciardi erano ormai bruciati?

Vennero bruciati loro due e alcuni loro amici. Ma quando l'inchiesta di Violante puntò più in alto, gli misero il bastone fra le ruote opponendo il segreto di Stato. Sogno e Pacciardi vennero poi prosciolti e Violante passò per un inquisitore staliniano. Questo, a onor del vero, bisognerebbe ricordarlo. Molte cose mi dividono da Violante, ma in quel caso lui aveva visto giusto. Comunque, per tornare alla sua domanda, la mia risposta è questa: fallito il golpe fascista di Borghese, bruciato il golpe gollista di Sogno e Pacciardi, in certi ambienti si decise di giocare un'altra carta, quella delle Brigate rosse. Le Br esistevano già, non c'era bisogno di inventarle: bastava che agissero e crescessero.

Lei crede quindi che le Brigate rosse fossero eterodirette?

Le Brigate rosse erano proprio quello che dicevano di essere, cioè un'organizzazione rivoluzionaria per il comunismo. Le loro radici, come abbiamo visto, affondavano nella storia della sinistra e del movimento operaio italiano. Ma quando sento dire da qualcuno che la storia delle Br si esaurisce qui, penso che sia una persona poco avveduta o in malafede. Se si osserva la genesi e l'evoluzione del terrorismo rosso, ci si accorge che elementi ambigui (dal punto di vista ideologico e dal punto di vista dei collegamenti) esistevano al suo interno sin dall'inizio. Naturalmente, in qualche caso poteva trattarsi di persone doverosamente infiltrate nelle Br per meglio conoscerle e quindi meglio combatterle. In qualche altro caso, però, l'ambiguità di certi personaggi era tale da far pensare a un ruolo diverso da quello del semplice infiltrato.

Si riferisce per esempio a Corrado Simioni?

Io sono convinto che nella biografia di questo personaggio ci sia gran parte della storia oscura delle Brigate rosse. Cosa di cui erano convinti anche il generale Maletti, che era uno dei capi del servizio segreto italiano a cavallo tra gli anni Sessanta e Settanta, e il generale Dalla Chiesa.

Che cosa dicevano?

Maletti ha sempre pensato che dopo l'arresto di Curcio e Franceschini, nel 1974, le Br si siano riorganizzate (cito una sua intervista al giornalista Lino Jannuzzi, pubblicata sul settimanale «Tempo» nel 1976) «sotto forma di un gruppo ancora più segreto e clandestino, e costituto da persone insospettabili, anche per censo e cultura, e con programmi più concreti». Dalla Chiesa, nella sua audizione nella Commissione parlamentare d'inchiesta sul caso Moro, ritenne di poter identificare quel gruppo nell'Hyperion di Parigi; dove Moretti, il nuovo capo delle Br dopo l'arresto di Curcio e Franceschini, si recava periodicamente per ricevere istruzioni. Da Franceschini, poi, sono venute conferme importanti e nuove rivelazioni, che stranamente sono passate sotto silenzio mentre avrebbero dovuto suscitare un dibattito approfondito. Ci ha raccontato che Moretti e Prospero Gallinari, i due organizzatori del sequestro Moro, erano uomini di Simioni. Il quale, dopo l'operazione "pulizia" fatta dal Pci con il magistrato amico De Vincenzo, se n'era andato a Parigi con il suo gruppo. Ma in realtà, dalla Francia, aveva continuato a dirigere le Brigate rosse tramite Moretti e Gallinari. È un'ipotesi che ritengo molto attendibile, anche perché trova riscontri nelle dichiarazioni di molti brigatisti pentiti.

Franceschini dice cose di un certo interesse anche sulle teorie e sui piani di Simioni: voleva infiltrare le organizzazioni della sinistra rivoluzionaria per indurle a innalzare sempre più il livello dello scontro; così – pensava Simioni – all'interno di quei gruppi sarebbero emersi tutti i veri rivoluzionari; e a quel punto, una volta creato il clima ideale, le Brigate rosse avrebbero potuto imporsi con il proprio marchio attraverso azioni clamorose... È curiosa la somiglianza tra lo scenario illustrato da Simioni a Franceschini nel 1970 e la nuova ondata di violenza che esplose in Italia nel 1977, alla vigilia del sequestro Moro. Non trova?

Sì, davvero impressionante. Anche il movimento del Settantasette, come quello del Sessantotto, nasceva da un disagio profondo del mondo giovanile, che era insieme disagio sociale ed esistenziale. Quella era la generazione che aveva visto frustrati i propri sogni con la crisi della sinistra extraparlamentare, e che non voleva rassegnarsi all'idea di rifluire nel privato dopo aver investito tutto in un progetto rivoluzionario. Quei giovani avevano mille motivi per esprimere la propria rabbia e la propria insofferenza. Ma qualcuno mise nelle loro mani una P38 e indirizzò la loro protesta contro un obiettivo: il Pci berlingueriano e il compromesso storico. Cominciò tutto con l'aggressione a Luciano Lama, durante il suo comizio all'università di Roma, il 17 febbraio 1977. Furono quelli di Autonomia, con il loro servizio d'ordine, a organizzare l'assalto. E furono sempre le frange più radicali e violente di Autonomia a provocare gli scontri durante le manifestazioni, nei mesi successivi. Ogni corteo del movimento aveva come immancabile variabile l'assalto a qualche sede di partito o un esproprio proletario in un'armeria. E mentre l'Autonomia innalzava il livello dello scontro, con impressionante simmetria, si dispiegava parallelamente anche l'azione delle Brigate rosse di Mario Moretti. Sono impressionanti le cifre sulla violenza che si sviluppò in Italia solo in quell'anno: 2.128 attentati, 32 persone "gambizzate", 11 assassinate, tra magistrati, dirigenti d'azienda, giornalisti, uomini politici, esponenti delle forze dell'ordine. Ed era soltanto l'inizio del bagno di sangue che seguì all'omicidio Moro.

Secondo lei, qual era il rapporto tra le Brigate rosse e Autonomia? Il giudice padovano Guido Calogero era convinto che i vertici delle due organizzazioni coincidessero.

Erano organizzazioni autonome, ma con intensi rapporti di natura politica e anche di mutuo soccorso. Sicuramente tra loro c'era una dialettica, che a volte poteva sfociare in un conflitto. Ma era per lo più competizione per imporre una propria egemonia sul movimento. L'obiettivo di fondo coincideva: bloccare il compromesso storico e costruire il partito armato. In sostanza lo stesso obiettivo per il quale si era speso Feltrinelli. Quanto a Calogero, aveva imboccato una pista che portava a Parigi, all'Hyperion e a Simioni. Ecco: sono convinto che lì, in Francia, finissero per incrociarsi molti fili che partivano dall'Italia, compresi quelli di Autonomia e delle Brigate rosse. Ma l'inchiesta di Calogero, come tutte le altre inchieste che arrivavano allo stesso punto, venne sabotata da settori degli apparati italiani e francesi. Il povero Calogero venne anche messo in croce, trafitto dagli appelli di tanti intellettuali (italiani e francesi) che lo accusarono di essere un liberticida al servizio del Pci. Un vero peccato che tanti uomini di cultura, molti dei quali sicuramente in buona fede, abbiano aiutato a ostruire le strade che portavano a Parigi e all'Hyperion.

E gli intellettuali in mala fede che gioco facevano?

Se c'erano, come io penso, non erano certo preoccupati di difendere i diritti di alcuni imputati dal loro punto di vista ingiustamente accusati, ma facevano parte di un'area di contiguità con le Br e agivano di conseguenza.

Fu in quel crescendo di violenza e anche di simpatia intorno alle Brigate rosse, che la mattina del 16 marzo 1978 venne se-

questrato Aldo Moro. Si stava recando alla Camera per il dibattito sulla fiducia al governo Andreotti, che inglobava il Pci nella maggioranza. Curioso: nel 1973 Berlinguer sfugge a un attentato, cinque anni dopo sequestrano Moro. Un caso?

Moro e Berlinguer incarnavano una politica temuta e duramente osteggiata in diversi ambienti, come abbiamo visto. Chi voleva colpire a morte la loro politica evidentemente pensò che si dovesse puntare anche contro le persone. Moro e Berlinguer erano i primi a saperlo. Luciano Barca, uno dei più stretti collaboratori di Berlinguer, è venuto a dirci in Commissione che, quando scoppiò la bomba di piazza Fontana, la prima preoccupazione di Berlinguer fu quella di avvertire Moro, che era in visita ufficiale a Parigi: non voleva che rientrasse in aereo. Questo per dire che avevano messo nel conto l'eventualità di attentati alle loro persone. Certo, è possibile che, sopravvissuto Berlinguer all'incidente bulgaro, l'attenzione si sia poi spostata su Moro. Ma non enfatizzerei troppo il ruolo dei servizi segreti. Così come trovo banalizzante e mistificante l'idea che il sequestro Moro fu opera della Cia, allo stesso modo trovo banalizzante e mistificante l'idea che fece tutto il Kgb. Moro era un obiettivo naturale per le Brigate rosse.

Fra gli obiettivi naturali delle Brigate rosse, forse era quello che avrebbe fatto maggiormente piacere agli oltranzisti dei due campi: possiamo dire così?

Sì, questo possiamo dirlo. Possiamo pure aggiungere che con ogni probabilità lasciarono anche fare, dal momento che molti servizi segreti di rango avevano intercettato i progetti brigatisti e non fecero nulla per bloccarli. Ma il sequestro Moro fu innanzitutto un atto di guerra delle Brigate rosse contro lo Stato, per rendere più profonda la divisione nel Paese e spingere migliaia di giovani verso la scelta estrema della lotta armata. Da quel momento in poi, infatti, le Brigate rosse diventarono ancora più sanguinarie, e i giovani fecero la fila per arruolarsi.

Moro era l'interlocutore di Berlinguer, senza di lui la strategia del Pci sarebbe naufragata. Può spiegare allora perché, di fronte alla richiesta brigatista di aprire una trattativa per il rilascio del prigioniero, Berlinguer fu il primo a opporsi, e lo fece in modo così netto da costringere anche governo e Dc a schierarsi sul fronte della fermezza?

Berlinguer sapeva benissimo chi fossero le Brigate rosse e da quale storia arrivassero, e temeva che qualcuno le strumentalizzasse contro il Pci. Per questo assunse una posizione così dura...

Se il Pci sapeva così bene quale fosse la radice ideologica delle Br, perché per molti anni continuò a definirle "sedicenti rosse"?

Perché aveva la coda di paglia e pensava che non dire la verità avrebbe preservato il partito da possibili attacchi. Era un vecchio vizio della cultura comunista. Ma questo non significa che il Pci abbia tollerato la violenza. La durezza di principio espressa durante il caso Moro corrispondeva alla durezza dell'atteggiamento pratico nella lotta al terrorismo. Quando le forze dell'ordine brancolavano nel buio, per dirla con un'espressione della cronaca nera di quegli anni, il Pci passò gli elenchi di molti brigatisti a carabinieri e polizia. E "prestò" alcuni suoi militanti a Dalla Chiesa perché li infiltrasse nelle Br. Fu un apporto prezioso, un importante contributo alla sconfitta del terrorismo. Ma per tornare al caso Moro, non è vero che la linea della fermezza impedisse la trattativa. E infatti, non l'ha impedita. Semmai dobbiamo chiederci perché la trattativa non ha avuto successo, ed è ben strano che nessuno lo ha mai detto.

Lo dica lei.

Su quei cinquantacinque giorni ho fatto una serie di riflessioni che riguardano in particolare Cossiga e il suo dramma, che mi pare si sia andato sempre più precisando. Come ministro dell'Interno, non poteva ammettere che lo Stato trattasse con i terroristi, che Moro fosse liberato in cambio di un riconoscimento politico delle Brigate rosse. Era un prezzo che il governo non poteva permettersi di pagare. Tuttavia, volendo bene al suo amico Moro, Cossiga sperava che venisse liberato: se non attraverso un blitz militare, che avrebbe potuto mettere in pericolo la vita del prigioniero, almeno attraverso una trattativa che seguisse canali più informali. E si affidava a quello che gli diceva Andreotti, che lo invitava a non far niente perché ci avrebbe pensato il Vaticano. Oppure a quello che gli diceva il suo amico Markus Wolf, allora capo della Stasi, il servizio segreto della Germania orientale, il quale gli aveva assicurato che il Mossad israeliano sarebbe riuscito a ottenere la liberazione di Moro.

La Stasi e il Mossad?

Sì, me lo ha recentemente confidato Cossiga, peraltro senza vincolarmi al segreto. Il capo della Stasi gli aveva assicurato che il Mossad avrebbe salvato Moro. I rapporti tra i servizi segreti della Germania orientale e il Mossad sono sempre stati eccellenti, quindi non è sorprendente che si fosse attivato anche quel canale.

Dev'esserci stato un via vai pazzesco durante quei cinquantacinque giorni.

Pazzesco, sì, ha detto bene. Perché oltre al Vaticano, alla Stasi e al Mossad, si mobilitò anche la famiglia Moro attraverso canali mediorientali, in particolare l'Olp di Arafat. E poi, sulla base delle indagini della Commissione stragi, è assai probabile che, intorno a palazzo Caetani, dove fu poi trovato il cadavere di Moro, si fosse mossa una serie di intellettuali di estrazione azionista.

Perché si mossero ambienti intellettuali di matrice azionista? E perché proprio intorno a palazzo Caetani?

Ancora una volta sono storie che partono da molto lontano e che affondano le loro radici nella dialettica all'interno dell'amministrazione Usa. C'erano circoli della destra repubblicana che con ogni probabilità stavano dietro alla loggia P2. E c'era un'America democratica che non era inerte nel periodo della guerra fredda, perché lavorò per far crescere in Italia una cultura che fosse insieme laica, democratica e anticomunista. Penso per esempio a come, con grande chiarezza, Eugenio Scalfari descrisse il gruppo degli "amici del Mondo": «Era un gruppo che sentiva profondamente i valori occidentali, che aveva come lascito culturale i principi della Rivoluzione francese e, ancor più, quelli della Rivoluzione americana del 1776. Era schierato senza riserve in favore della Federazione europea occidentale e del patto di alleanza Nord Atlantico»[3]. Vi erano quindi in Italia due mondi politico-culturali, che avevano entrambi forti legami con ambienti americani e che negli anni Settanta, in particolare durante i cinquantacinque giorni del caso Moro, si attivarono entrambi, probabilmente anche in contrasto fra di loro perché avevano obiettivi diversi.

Quali gli obiettivi degli uni e quali quelli degli altri?

Lo abbiamo analizzato durante tutta questa conversazione. La destra voleva troncare il dialogo tra Dc e Pci. I circoli democratici lavoravano invece per un'evoluzione del sistema politico.

Certo. Ma questo significa che gli uni volevano Moro morto e gli altri, invece, lo volevano vivo?

Se vogliamo andare al nocciolo della questione, direi che significava proprio questo.

Però, nel corso di questa conversazione, lei ha anche detto che gli ambienti laici e di sinistra che ruotavano intorno a palazzo Caetani erano ostili al compromesso storico ed erano profon-

damente antidemocristiani. Tanto che, nei loro scenari per il dopo guerra fredda, la Dc era collocata all'opposizione. Le domando, allora: visto che Moro faceva diffondere dalla "prigione del popolo" giudizi assai duri nei confronti dei suoi compagni di partito, non è possibile che quegli ambienti volessero salvarlo per utilizzarlo, da vivo, contro la Dc?

In quegli ambienti non sottovalutavano certo gli effetti destabilizzanti sulla Dc e sul governo che sarebbero potuti derivare dalla liberazione di Moro. Tanto è vero che Cossiga – nella sua apparente bizzarria una delle persone più lucide che io abbia conosciuto – era talmente preoccupato di questo che aveva previsto un periodo di quarantena per Moro, nel caso in cui fosse stato liberato. Ne sono convinto: libero e non più iscritto alla Dc, come lui stesso aveva promesso in cambio della liberazione, Moro avrebbe anticipato di qualche anno la crisi di quel partito.

Era davvero Igor Markevic, il direttore d'orchestra di origine russa, l'intermediario tra palazzo Caetani e le Brigate rosse?

Markevic era il personaggio ideale per fare da intermediario. Il suo vissuto lo rendeva un interlocutore credibile per tutti quei mondi. Il suo legame con Israele, poi, era saldissimo. E Cossiga mi ha detto che il Mossad aveva promesso la liberazione di Moro. Certo, finché non abbiamo prove, dobbiamo parlare di ipotesi. Ma di ipotesi serie, fondate su dati di fatto, non sulla sabbia. Markevic non era palazzo Caetani, ma era l'uomo che palazzo Caetani poteva contattare e convincere a fare da intermediario.

Ed è il canale della cultura quello che viene utilizzato per arrivare alle Br?

È quello il canale che viene utilizzato, l'area di contiguità con la lotta armata. Si arriva alle Brigate rosse passando attraverso i legami tra un intellettuale e l'altro, e persino attraverso legami sentimentali, di amicizia o familiari. La conferma più eclatante di tutto questo è la notizia che il criminologo Giovanni Senzani è appena tornato in libertà, senza che nessuno ne abbia ricordato la figura e il ruolo nelle Brigate rosse. Era uno dei capi delle Br fiorentine ed era membro della direzione strategica, che durante i cinquantacinque giorni del sequestro Moro si riuniva a Firenze, dove Markevic aveva radici sin dai tempi della guerra; inquisito, processato e condannato per quello che aveva fatto prima e dopo il caso Moro, Senzani non è mai stato indagato per il sequestro. Sono sempre più convinto che fosse lui il terminale brigatista della catena. Quindi, ancora una volta, l'impressione che ne ricavo è che abbia ragione Cossiga, quando dice che è ancora troppo presto per rivelare certe verità. Tramite un amico comune, Claudio Signorile, mi ha invitato a non insistere tanto sul caso Moro, perché ci sono delle cose oscure che, se venissero chiarite, non riporterebbero Moro in vita, ma farebbero soffrire persone che hanno già provato ingiustamente molto dolore. Ho pensato alla famiglia del presidente democristiano, al fatto che una parte dei segreti del caso Moro riguardino proprio i movimenti della famiglia, durante quei cinquantacinque giorni.

A Cossiga avevano detto che il Mossad avrebbe fatto liberare Moro. Perché allora lo uccisero e abbandonarono il suo cadavere proprio sotto le finestre di palazzo Caetani?

Perché alla fine prevalsero gli interessi convergenti e trasversali dei vari oltranzismi. Quando la trattativa di fatto si era ormai positivamente conclusa, Moro venne intercettato da chi lo voleva morto: fu ammazzato proprio mentre stava per essere salvato. È un'ipotesi agghiacciante, ma al momento mi risulta assolutamente credibile.

7
I naufraghi del Titanic

Si può leggere il caso Moro anche attraverso gli effetti politici della sua morte?

Assolutamente. Esistono ormai centinaia di ricostruzioni, più o meno attendibili, di quello che accadde durante i cinquantacinque giorni del sequestro. Ma pochi hanno provato ad analizzare quello che accadde dopo. La morte di Moro ha provocato effetti a catena per tutto il ventennio successivo, e ancora oggi il sistema politico ne subisce le conseguenze.

Proprio come aveva previsto lo stesso Moro, nel suo memoriale.

È vero, il dopo Moro assomiglia in modo impressionante alle sue profezie. Aveva previsto che, Fanfani ormai anziano, Andreotti sarebbe diventato la figura di riferimento all'interno della Dc. Nella sua estrema lucidità, si rendeva conto che una Dc dominata da Andreotti non sarebbe più stata in grado di stabilire quel rapporto politico e intellettuale che lui aveva costruito con Berlinguer. E ne vedeva già le conseguenze negative anche sul Pci. I comunisti, infatti, dopo una stagione di grandi aperture, si chiusero sempre più nella loro fortezza.

Subito dopo la morte di Moro, Giovanni Leone fu costretto a dimettersi dal Quirinale. Secondo alcuni, per il modo in cui avvenne, quell'episodio segnò l'inizio della crisi che avrebbe portato al crollo della prima Repubblica. Ne è convinto anche lei?

Le dimissioni di Leone furono la prima conseguenza della morte di Moro. Leone lasciò la presidenza della Repubblica per effetto non tanto di un attacco politico, quanto di una campagna mediatica ispirata da ambienti laici ben precisi. Con la prospettiva di oggi, penso che gran parte delle accuse contro di lui fossero ingiuste o enfatizzate. Eppure, sull'onda della campagna giornalistica e sotto la minaccia di impeachment, il Pci intimò a Leone di lasciare il Quirinale entro dodici ore. Dopo le dimissioni del presidente della Repubblica, la Dc non ebbe più la sua posizione di centralità nella politica italiana.

Non è l'antagonista storico della Dc che porta l'attacco alla centralità del suo potere, ma i giornali ispirati, come dice lei, da ben precisi ambienti laici, con il Pci costretto a inseguirli. Come si può spiegare quest'anomalia?

Non so... In un rapporto di causa-effetto potrebbe aver influito il fatto che, durante il sequestro Moro, Leone non condividesse fino in fondo la linea della fermezza. Per facilitare la trattativa, lui si era già dichiarato disponibile a firmare il decreto di grazia per un detenuto politico. Il Pci poteva aver letto l'apertura del Quirinale come un gesto ostile nei confronti del governo di solidarietà nazionale e dunque decise di fargliela pagare. Può aver influito anche la paura dei comunisti di essere scavalcati a sinistra dai laici. Tutto questo è possibile. Certo è che la decisione così precipitosa del Pci è uno dei primi sintomi di un'asfissia politica del berlinguerismo. Perduto l'appoggio di Moro, Berlinguer non riesce più a formulare pensieri lunghi e a prefigurare nuovi equilibri politici. E si attesta su una posizione dura.

Dopo che era stato colpito Moro, forse Berlinguer si aspettava un attacco anche contro il Pci e stava predisponendo le difese. Secondo lei, c'era davvero una regia che guidava in una certa direzione il corso della politica?

Se in tutto questo ci sia stata una regia laica, io non lo so. Certo è che, così come le dimissioni di Leone erano arrivate per effetto di campagne esterne ai partiti, l'elezione del suo successore, il socialista Sandro Pertini, di fatto fu imposta per vie che io considero quasi esterne all'ambito politico. Ricorda quale fu il primo atto della presidenza Pertini? La nomina a segretario generale del Quirinale proprio di un uomo legato a quegli ambienti laici, Antonio Maccanico.

Gli ambienti di palazzo Caetani. Tra l'altro, anche Pertini era spesso ospite di quel palazzo e della meravigliosa dependance nell'oasi di Ninfa.

Queste sono notizie che mi sta dando lei. Certo è che Pertini chiamò accanto a sé un uomo come Maccanico, che era indubbiamente espressione di quell'area culturale da cui erano partiti gli attacchi a Leone. Comunque, la presidenza Pertini restituì al Quirinale dignità e importanza politica.

Lei prima ha accennato al conflitto che ci sarebbe stato durante il caso Moro fra i due "partiti americani". Per intenderci: quello della P2 (della cui esistenza non si sapeva ancora), che voleva Moro morto; e quello di palazzo Caetani, che invece voleva salvarlo. Tutto ciò che accadde dopo non ha un po' il sapore di una resa dei conti tra queste due anime dell'atlantismo italiano?

Non lo escludo. Certo è che con la presidenza Pertini il Quirinale assume sempre più l'iniziativa politica. La Dc perde la sua centralità, il Pci è sempre più nell'angolo e inizia la fase dei governi a guida laica e socialista...

È un commissariamento della Dc, in sostanza: una sorta di golpe laico, anche se molto soft?

Questa fu sostanzialmente la lettura che, ascoltato in Commissione, ne diede Marco Pannella. Certo è che la Dc, dopo aver perso il suo uomo più lucido, assassinato dalle Brigate rosse, perde anche il Quirinale e, per la prima volta, la guida del governo. Questo è l'effetto più vistoso della presidenza Pertini. Però non trascurerei anche il dato economico. L'Italia di quegli anni era alle soglie della grande rivoluzione informatica, cominciava a imporsi un modo nuovo di produrre. La classe operaia stava mutando il proprio Dna, il Pci si trovò privo del proprio referente sociale e non riuscì a elaborare tempestivamente una cultura e una politica adeguate alla nuova fase dell'economia. L'intellettualità e la finanza laica erano preoccupate che il Paese venisse governato ancora dai due grandi solidarismi, cattolico e comunista, e imposero alla guida del governo il repubblicano Giovanni Spadolini.

Intervenendo di recente a un dibattito, il presidente dell'Istituto Gramsci, Beppe Vacca, ha sostenuto questa tesi: dopo la morte di Moro, entra in crisi la democrazia basata sui grandi partiti di massa e si apre una fase in cui cominciano ad affermarsi le grandi oligarchie. Cioè quelli che vengono definiti "poteri forti", tanto più forti quanto più debole è la politica. Lei che ne pensa?

Sono d'accordo. Nasce quell'aspirazione al governo tecnocratico della società che diventerà fortissima nel decennio successivo, all'inizio degli anni Novanta. Entra in crisi il modello su cui il sistema politico italiano si era formato in tempo di guerra fredda, quello dei bilanciamenti per compensare la mancanza di alternanza. Il Parlamento "governante", cioè il sistema consociativo, in cui ogni decisione è il frutto di lunghe trattative con l'opposizione, non è più adatto alla nuova realtà dell'economia, che impone decisioni rapide. E in quel momento, un uomo come Spadolini, un laico lontano dalla cultura dirigista persino di un Ugo La Malfa, il suo predecessore alla guida del Pri, è quello che meglio può impersonare questa esigenza. Oltretutto, rispetto a molti dirigenti democristiani coinvolti in diversi scandali, lui è anche di specchiata moralità. In quel periodo, non nasce soltanto l'aspirazione a un governo di tecnocrati; nella politica cominciano a entrare anche categorie etiche che avranno un ruolo decisivo nella crisi della prima Repubblica.

A proposito di categorie etiche, il primo governo a guida laica è preceduto dall'esplosione dello scandalo della P2, scoperta dal giudice milanese Gherardo Colombo. E il primo atto del governo Spadolini è lo scioglimento della loggia segreta di Licio Gelli. Dobbiamo pensare a un caso o, ancora una volta, a una resa dei conti?

La P2, come ho già detto, era il rifugio dell'oltranzismo atlantico...

Una versione più aggiornata degli Atlantici d'Italia di Edgardo Sogno?

Più aggiornata e anche più sofisticata. La P2 era legata alla destra repubblicana degli Usa e probabilmente, come spesso è accaduto, un regolamento di conti iniziato dall'altra parte dell'Oceano è esploso in Italia. La genesi italiana di quello scandalo è un primo segnale di come la magistratura può essere usata come strumento di un regolamento di conti. Certo, perquisendo in seguito a una soffiata l'abitazione di Gelli a Castiglion Fibocchi, Colombo aveva fatto il suo dovere. Ma sta di fatto che la soffiata serviva a un regolamento di conti e la magistratura ne è stato lo strumento inconsapevole.

Stiamo parlando di una loggia massonica la cui attività principale erano gli affari e i complotti.

I fenomeni sono sempre più complessi di quanto non appaia e si prestano sempre a letture diverse. Preferisco sospendere il giudizio morale e analizzare i fatti. Se pensiamo alla conclusione della vicenda giudiziaria della P2, dobbiamo dire che, nell'enfatizzazione dello scandalo, c'era di sicuro un obiettivo politico. Perché alla fine, sui singoli aderenti alla P2 di fatti illeciti paragonabili alle dimensioni dello scandalo non ne sono emersi: l'esito giudiziario della vicenda è stato sostanzialmente assolutorio. Qual è stato però il suo effetto pratico? Che molte carriere politiche, militari, dell'economia e degli apparati burocratici vennero stroncate o fortemente compromesse. Quindi si creò un vuoto di potere. E quando si crea un vuoto di potere, a volte è perché c'è qualcuno che aspira a colmarlo.

E chi aspirava a sostituire la nomenclatura piduista?

Il "partito" dei più intelligenti e dei più onesti, quel ceto tecnocratico che, nella situazione del dopo Moro, cercò di sfruttare ogni spazio per imporre una propria egemonia e attuare un proprio disegno: la normalizzazione del sistema italiano, da un lato, attraverso la crisi della Dc e, dall'altro, con la cancellazione dell'anomalia comunista.

Torniamo a Berlinguer. Quello che lei ha appena detto forse può aiutarci a capire meglio la sua politica dopo la morte di Moro. In crisi il compromesso storico, nel luglio 1981 il segretario del Pci rilascia una famosa intervista al direttore di «Repubblica», Eugenio Scalfari, in cui lancia la "questione morale"... Se la ricorda, quell'intervista?

Me la ricordo bene, perché con quell'intervista Berlinguer si arroccò su una posizione tutto sommato di isolamento, trincerandosi dietro una supposta diversità e superiorità morale dei comunisti.

Battere sul tasto della questione morale forse era una concessione al "partito dei migliori" da parte di un leader politico alla ricerca di nuovi interlocutori.

Perso Moro, sicuramente Berlinguer si trovò costretto a ritarare l'intera sua politica, accettando l'idea di un'alternativa di sinistra e persino di andare al governo con il 51 per cento dei voti. Ma il modo in cui lo fece era abbastanza contraddittorio e, per certi versi, persino incomprensibile. O almeno, così appariva. Che senso aveva parlare di alternativa di sinistra se, enfatizzando la questione morale, venivano tagliati fuori da ogni possibile interlocuzione gli alleati naturali del Pci, cioè i socialisti di Craxi?

La corruzione del sistema politico era un dato reale, non un'invenzione di Berlinguer.

Verissimo, ma era un sistema di cui il Pci in qualche modo era partecipe. A cosa si riferiva, Berlinguer, se non al modo in cui si finanziava la politica durante la guerra fredda? E cioè: i finanziamenti della Cia e dell'industria di Stato ai partiti di governo; e quelli sovietici ai comunisti, ai quali veniva anche riconosciuta una tangente per le intermediazioni d'affari tra le industrie italiane e i governi dell'Est. Come ho spiegato all'inizio di questa intervista, era un sistema accettato sia dagli uni che dagli altri. Tanto che poi, quando diminuirono gli aiuti dall'estero, si trovò una compensazione attraverso gli appalti pubblici, da cui le cooperative rosse non erano mai escluse. Il finanziamento irregolare dei partiti era un problema politico. Berlinguer, invece, lo trasformò in una questione morale.

Era comunque una questione che riguardava la moralità della politica.

Certamente. Solo che Berlinguer, accentuando l'aspetto morale rispetto a quello politico, spostò l'attenzione dai comportamenti collettivi a quelli individuali. Salvando così il proprio partito. Perché il Pci prendeva soldi come tutti gli altri, però i suoi dirigenti erano onesti: i soldi servivano per l'attività politica, non per l'arricchimento personale...

Un dato difficilmente contestabile, mi sembra, dal momento che il tasso di corruzione all'interno del Pci era di gran lunga inferiore a quello degli altri partiti.

Sono d'accordo. Il Pci era meno corrotto, ma perché al suo interno non esistevano le correnti organizzate, la sua vita interna era regolata dal principio del centralismo democratico, e c'era una centralizzazione anche dei finanziamenti. Il rischio di una degenerazione quindi era minore. Però, ripeto, sia pure con la sua specificità, il Pci non era estraneo a quel sistema di finanziamento irregolare della politica.

Lei ha sicuramente ragione su un punto: l'apparente contraddizione tra la rivendicazione orgogliosa della propria diversità e la politica dell'alternativa. Ma a Scalfari Berlinguer disse per la prima volta che avrebbe governato anche con il 51 per cento. E un politico come lui, abituato a pesare anche le virgole, non poteva non aver calcolato le conseguenze politiche di un'affermazione di quella portata: un sistema dell'alternanza, in Italia, sarebbe stato possibile solo rimuovendo l'ostacolo che fino a quel momento l'aveva bloccato, cioè l'anomalia comunista...

Su questo non c'è il minimo dubbio.

Le chiedo, allora: non è possibile che il segretario del Pci avesse deciso di accelerare il distacco da Mosca, portando le sue scelte fino all'estrema conseguenza di un cambio del nome? E che avesse puntato sulla questione morale per attenuare i contraccolpi sulla propria base di una scelta così traumatica?

Se aveva pensato a una cosa del genere, era un progetto che teneva gelosamente per sé, che certamente non aveva confidato a nessuno.

Se la memoria non mi inganna, Aldo Tortorella, uno dei dirigenti a lui più vicini, nelle convulsioni politiche provocate dal crollo del Muro di Berlino, ha rivelato che il cambio del nome era un progetto di Berlinguer. In ogni caso in un'intervista del 1976 a Giampaolo Pansa si era già dichiarato a favore della Nato. E dopo la fine del compromesso storico, è impressionante il crescendo delle posizioni antisovietiche da lui espresse pubblicamente, fino alla dichiarazione sull'esaurimento della spinta propulsiva della rivoluzione d'Ottobre, dopo il colpo di Stato del generale Jaruzelski, in Polonia, nel 1981.

Questo è vero, ma Berlinguer non riuscì a concepire un programma politico credibile a cui affidare, una volta rotto il rapporto con l'Urss, le chance di vincere le elezioni e di andare al governo. Non poteva essere certamente la diversità sul piano morale o l'austerità in politica economica a portare il Pci al governo. Nell'era di Reagan e della Thatcher, in una società complessa come quella dei primi anni Ottanta, in un'economia che si andava globalizzando, che senso aveva tutta la polemica contro il consumismo? Quella non poteva essere una prospettiva politica, né un programma di governo.

Ora le chiedo io una sospensione di giudizio. È più interessante cercare di capire i comportamenti di Berlinguer dopo la morte di Moro, invece di giudicarli: sicuramente a un'accentuazione della questione morale, corrisponde la scelta dell'alternativa e la estrema radicalizzazione della critica all'Urss...

Siamo d'accordo.

Berlinguer si arrocca, ma lancia ponti verso gli ambienti laici di palazzo Caetani, che come abbiamo visto sono legati a quella parte dell'Amministrazione americana che ha sempre investito su un'evoluzione democratica del Pci...

Anche questo è vero, tant'è che in quegli anni il Pci porterà in Parlamento, come indipendenti di sinistra, molti illustri personaggi legati alla cultura laico-azionista e all'America. In quel periodo si intensificano anche le relazioni con i partiti socialisti e socialdemocratici europei.

Cerca interlocutori negli ambienti filoamericani progressisti e nella socialdemocrazia europea, punta sull'alternativa di sinistra, ma sa che il Pci non può andare al governo finché continuerà a chiamarsi comunista. Moro era stato ammazzato proprio perché aveva tentato di aggirare questa legge non scritta della politica italiana...

Il ragionamento non fa una piega, capisco dove vuole arrivare. Lei vuol dire che nell'azione pur non lineare e almeno apparentemente contraddittoria del Berlinguer del dopo Moro era chiaro l'approdo definitivo alla sponda occidentale...

Questo era già chiaro nella politica del compromesso storico, come lei stesso ha detto, anche se i tempi erano lunghi. Io invece insisto su un altro punto: Berlinguer aveva deciso di bruciare le tappe?

Mi piacerebbe pensare che sia così, perché Berlinguer era una di quelle personalità di cui noi laici – io allora ero un laico non comunista – subivamo il fascino. La logica porterebbe a una conclusione del genere. Ma allora bisognerebbe domandarsi perché reagì negativamente alle aperture del primo Craxi, quello che propose l'alternativa di sinistra e lanciò la parola d'ordine della modernizzazione del Paese. Nella visione craxiana c'era il superamento dell'anomalia italiana attraverso la cancellazione di quella comunista e una riforma del sistema consociativo costruito in periodo di guerra fredda. Se, fallito il compromesso storico, Berlinguer scelse l'alternativa, perché poi sbatté la porta in faccia a Craxi? È un'incongruenza. Forse Berlinguer sottovalutò Craxi, perché era convinto che sarebbe riuscito a riassorbirlo accentuando il profilo antisovietico, occidentale e riformista del Pci. È del tutto plausibile: pensava di contenerlo avvicinandosi sempre più all'area del socialismo europeo e, contemporaneamente, giocando contro il Psi la carta della questione morale. Era convinto che così avrebbe conservato l'egemonia all'interno della sinistra.

Pensava di farcela magari con l'aiuto del nuovo segretario della Dc Ciriaco De Mita, che tentò di riprendere il filo della politica morotea? Berlinguer aveva trovato in lui una sponda.

Penso proprio di sì. De Mita rilanciò la riforma del sistema per aprire la strada alla democrazia dell'alternanza, una versione aggiornata del compromesso storico; e Berlinguer rispose con lo strappo da Mosca. Non è un caso che entrambi, De Mita e Berlinguer, avessero un credito enorme nell'ambiente laico di palazzo Caetani. Penso però che entrambi avessero sottovalutato Craxi e la questione che lui poneva: in una democrazia dell'alternanza, il polo progressista non avrebbe mai potuto essere egemonizzato da un partito comunista o ex comunista. Da quel consumato tattico che era, Craxi tentò di sparigliare il gioco offrendosi come strumento del progetto di stabilizzazione moderata dell'equilibrio politico italiano. In questa logica accettò la presidenza del Consiglio, nel 1983: si alleò con gli ambienti conservatori e anticomunisti, convinto che la visibilità che ne avrebbe ricavato in termini di immagine e di potere lo avrebbe aiutato a crescere, tanto da assorbire un giorno anche la forza del Pci o dell'ex Pci. E in questo suo disegno fu incoraggiato anche dalla destra americana e inglese. Quelli erano gli anni di Ronald Reagan e Margaret Thatcher.

Il conflitto tra i due "partiti americani", divisi tra loro già durante il caso Moro, caratterizza dunque anche la fase successiva. Quali sono gli obiettivi dell'uno e dell'altro?

Entrambi volevano stabilizzare il sistema, offrendo uno sbocco alla crisi che era iniziata nel luglio 1960, esplosa in modo violento a cavallo tra gli anni Sessanta e Settanta, e precipitata poi con l'assassinio di Moro. Uno dei gangli vitali dell'alleanza atlantica, l'Italia, aveva subito fibrillazioni pericolose, e un collasso del sistema avrebbe avuto conseguenze destabilizzanti nell'intero scacchiere europeo. La differenza tra i due "partiti" era ovviamente nel tipo di sbocco che si voleva offrire. La destra repubblicana, diciamo così, puntava a una soluzione moderata, ricostruendo il blocco anticomunista intorno al Psi di Craxi. La sinistra democratica, invece, riteneva ancora una volta che fosse necessario spostare in avanti l'equilibrio, offrendo una sponda al revisionismo berlingueriano, ormai prossimo alla sua Bad Godesberg[1].

E ci sarebbe stata la Bad Godesberg comunista, se il segretario del Pci non fosse morto prematuramente, nel 1984, a Padova. Lei mi dirà che non si può fare la storia con i se. Io penso che a volte sia necessario, perciò le chiedo: con Berlinguer ancora vivo, la politica italiana avrebbe avuto un corso diverso?

È difficile rispondere a questa domanda. Però, tutto sommato, penso di sì. Soprattutto se avesse davvero portato alle estreme conseguenze lo strappo dal comunismo sovietico. Se avesse fatto la sua Bad Godesberg, se avesse cambiato nome al Pci e avesse collocato il suo partito nella grande famiglia del socialismo europeo, la storia politica italiana avrebbe anche potuto seguire un corso diverso. In fondo, era quello che Achille Occhetto avrebbe fatto appena cinque-sei anni dopo la morte di Berlinguer.

Con una differenza, però. Occhetto cambiò nome al Pci dopo il crollo del Muro di Berlino. Berlinguer, invece, avrebbe potuto farlo quando la guerra fredda non era ancora finita...

E l'impero sovietico era attraversato da fermenti pericolosi. Penso che se Berlinguer fosse rimasto in vita, avrebbe creato problemi ancora più seri alla dirigenza sovietica.

Al suo funerale il Pcus mandò un giovane dirigente, un certo Michail Gorbaciov, il quale dichiarò pubblicamente che Berlinguer era un punto di riferimento anche per i riformisti dei partiti comunisti dell'Est.

Assolutamente. Questo lo avevano capito anche i circoli più aperti della politica americana ed europea, perciò ritenevano che dopo la morte di Moro non si dovesse abbandonare Berlinguer al proprio destino, ma che bisognasse illuminargli l'approdo occidentale e aiutarlo a raggiungerlo. Avrebbe giovato alla democrazia italiana e si sarebbero accentuati i conflitti tra riformisti e conservatori nei partiti comunisti dell'Est.

Stando ad alcune voci, dopo la sua morte, il Pci riunì la direzione e in quella sede sarebbe stata discussa l'ipotesi di un avvelenamento. Le risulta?

Non mi risulta. E non ho elementi per sostenere un'ipotesi del genere. Quello che però mi sento di dire, è che per la dirigenza conservatrice dell'Urss, come abbiamo visto, Berlinguer aveva sempre costituito un problema. Lo era già all'inizio degli anni Settanta, quando il regime moscovita era saldamente controllato dai brezneviani. Figuriamoci a metà degli anni Ottanta, quando i venti di crisi erano chiaramente percepiti anche al Cremlino. In ogni caso, fa una certa impressione il fatto che i due maggiori protagonisti della politica italiana dopo la generazione dei De Gasperi e dei Togliatti, e cioè Moro e Berlinguer, siano stati oggetto di attentati, anche se in tempi diversi e con diverso esito. La loro politica, come abbiamo visto, spaventava i conservatori e gli oltranzisti di entrambi i campi. Dati i precedenti, dubbi e interrogativi sulle cause della prematura scomparsa di Berlinguer non sarebbero fuori luogo.

Comunque, al di là delle ipotesi, l'assenza di un uomo come Berlinguer quale effetto ha avuto sulla politica italiana?

La sua morte colse il Pci in una fase delicatissima, e la mancanza di un leader ne accelerò la crisi. Ma più in generale fu la politica italiana a risentirne. Perché, con i comunisti nell'angolo, i partiti del Caf (il patto moderato tra Craxi, Andreotti e Forlani) si illusero di durare in eterno al governo.

Le spinte innovative e modernizzanti del primo Craxi si erano smorzate e il suo orizzonte politico si esauriva ormai all'interno del rapporto di alleanza competitiva con la Dc. Il sistema non riusciva a pensare a se stesso se non in una continua riproduzione della situazione presente. Fuori dalla scena due uomini come Moro e Berlinguer, con Craxi di fatto prigioniero degli ambienti moderati, la politica italiana cessò improvvisamente di porsi obiettivi e di avere pensieri lunghi. Fu la stagnazione: tutto si giocava all'interno di mere logiche di equilibri di potere e di egemonia all'interno del Caf. In quel clima, la prassi irregolare di finanziamento della politica non solo continuò, ma fu enfatizzata fino a risultare intollerabile agli occhi dell'opinione pubblica. Quel sistema politico si stava sbriciolando, e non se ne accorgevano. A vederli con la prospettiva di oggi, i politici di quella stagione sembravano i naufraghi del Titanic, che continuavano a ballare mentre la nave affondava.

8
La rottura del patto di indicibilità

Dal suo ragionamento emerge un dato di estremo interesse: dopo la scomparsa di Moro e Berlinguer, i conflitti che dalla fine della guerra avevano spaccato in due il Paese tendono a trasferirsi all'interno di quello che era stato il blocco anticomunista, in particolare tra le diverse anime (e le diverse politiche) che fanno riferimento al mondo anglosassone. È così?

Sostanzialmente è così, con i partiti che tendono a perdere sempre più peso politico.

C'era già, in quegli ambienti, la percezione del crollo imminente del Muro di Berlino?

Che il Muro sarebbe crollato di lì a poco, credo che nessuno potesse prevederlo. Di sicuro, c'era la percezione di una crisi irreversibile del comunismo sovietico. E dunque si disegnavano già i possibili scenari del dopo guerra fredda. Perciò i conflitti si trasferirono all'interno del campo occidentale.

Lei ha detto che guardando i politici di allora con gli occhi di oggi, sembravano i naufraghi del Titanic, perché non si accorgevano di quello che accadeva intorno a loro. Sottovalutarono gli effetti che la crisi del comunismo avrebbe provocato anche in Italia?

Assolutamente sì. Questo è stato l'incredibile errore di quella classe dirigente. Nella politica del compromesso storico di Moro e Berlinguer non solo c'era l'idea che un giorno il Muro sarebbe crollato, ma anche il proposito di accelerarne in qualche modo la caduta e di prefigurare un sistema più evoluto, nel senso di una sua pienezza democratica. Con la loro scomparsa – voglio ripeterlo – si perse la lucidità di quel disegno e la politica italiana subì una generale involuzione. Senza Berlinguer, il suo erede Alessandro Natta non riuscì a portare avanti il suo progetto, annaspò nelle difficoltà e pensò di cavarsela riallacciando i rapporti con l'Urss, sia pure con l'Urss di Gorbaciov. Senza Moro, la Dc si abbarbicò al suo potere. E Craxi, che pure era uno dei più lucidi e aveva capito che la politica italiana doveva cambiare, si lasciò imprigionare nella ragnatela di Andreotti. Nessuno sembrava rendersi conto che il sistema italiano, essendosi modellato sui parametri della guerra fredda, con la crisi del comunismo non poteva essere più lo stesso.

Nessuno proprio no. Perché Francesco Cossiga, che era presidente della Repubblica quando crollò il Muro, invitò la classe politica italiana a cambiare registro. Lo fece a suo modo, quasi fingendosi pazzo per poter gridare al Paese verità indicibili. Ma lo fece.

È verissimo. Cossiga è l'opposto di Andreotti. Andreotti pensava che, tutto sommato, la situazione poteva essere gestita senza grandi innovazioni, perché il sistema avrebbe potuto sopravvivere e semmai stabilizzarsi ancora di più grazie alla crisi del comunismo. Cossiga, invece, intuì con estrema lucidità che quel disegno politico di pura conservazione era velleitario e avrebbe nuociuto innanzitutto al Paese. Si rese conto che una volta cambiato il quadro internazionale in cui si era formato, il sistema politico doveva cambiare, ma anche che una riforma non poteva farsi se non al prezzo di una generale confessione. Capì che il vero passaggio dalla prima alla seconda Repubblica sarebbe dovuto consistere nella rottura del patto di indicibilità su cui si era fondata la democrazia italiana.

La rottura del patto di indicibilità conteneva anche la clausola dell'automatica autoassoluzione del ceto politico della prima Repubblica?

Cossiga cercò di superare la divisione del Paese attraverso un nuovo patto, un patto di verità, che era allo stesso tempo un patto di autoassoluzione. Questo è il disegno che affidò prima alle sue esternazioni e poi a un fondamentale e profetico messaggio alle Camere, in cui avvertiva che il male della divisione avrebbe finito per riprodursi fino in fondo, se non lo si fosse preventivamente neutralizzato attraverso il patto di confessione. Ammise che durante la guerra fredda erano stati commessi degli errori. Ma rivendicò alla Dc il merito storico di aver mantenuto l'Italia nel campo delle democrazie occidentali. E nelle sue parole non c'era mai un giudizio fortemente negativo nemmeno sul Pci, anzi: disse di stimare i comunisti italiani perché si rendeva conto che avevano dato un grande contributo alla crescita della democrazia e del Paese. Faceva questi discorsi in un momento in cui sussisteva ancora un Parlamento che aveva la capacità e l'autorevolezza per poter fare un'operazione di quel genere.

Quel Parlamento aveva ancora capacità e autorevolezza, ma non il coraggio di dire la verità al Paese.

No, questo coraggio purtroppo non l'ha avuto. È impressionante la sordità con cui il mondo politico accolse il messaggio di Cossiga: lo attribuì alla sua follia. Non dimenticherò mai la risposta che diede il senatore Niccolò Lipari, uno dei migliori costituzionalisti della Dc, a una mia domanda. In quel momento io non conoscevo la storia effettiva del Paese e ritenevo improprio il messaggio di Cossiga. Quando chiesi a Lipari che cosa secondo lui avremmo dovuto fare, rispose che il presidente della Repubblica poteva mandare messaggi alle Camere, ma nella Costituzione non c'era scritto che le Camere erano obbligate a rispondere. La Dc per prima ritenne che quel messaggio non meritasse risposta.

Una risposta invece arrivò attraverso un durissimo attacco al Quirinale, da parte della Dc, ma non solo. Per esempio dai laici-azionisti: ricordo le campagne di «Repubblica» contro Cossiga, che pure era stato un grande amico di Scalfari...

In quel mondo laico probabilmente c'era l'illusione che dalla crisi del sistema politico italiano si potesse uscire attraverso un processo pubblico alla Dc. Era come se fosse saltata la valvola e si fossero improvvisamente liberati tutti gli umori antidemocristiani repressi per decenni in nome dell'anticomunismo...

Dietro quegli umori antidemocristiani si celavano anche ambizioni egemoniche mai sopite?

Può essere e quindi, per rispondere alla sua suggestione, quel mondo non voleva il patto perché puntava a disarticolare la Dc attraverso un pubblico processo. Volevano processarla e cancellarla. Questo era l'atteggiamento anche di un uomo come Leoluca Orlando, il sindaco della "primavera" palermitana. E non sottovaluterei a questo proposito i legami internazionali di Orlando. In Sicilia c'è chi sostiene che in realtà Orlando si è sempre mosso su mandato tedesco, perché erano fortissimi i suoi legami con il mondo germanico, oltre che con l'America. L'Occidente aveva vinto la guerra fredda e l'Urss non era più un pericolo. Perciò il problema, in quel momento, era di gestire una vittoria, e di gestirla cercando di imporre una propria egemonia durante la suddivisione delle spoglie degli sconfitti. Non c'è dubbio che è in questa logica che in Italia nascono una serie di spinte intellettuali e di campagne di stampa contro il patto proposto da Cossiga.

Il "partito del processo" alla Dc trovò nel Pci (che stava già trasformandosi in Pds, ma di questo parleremo dopo) un pubblico ministero. All'offerta di un "patto della verità", Achille Occhetto, che aveva sostituito Natta alla segreteria, rispose riem-

piendo le piazze di militanti per un "pubblico processo" alla Dc: era proprio questo il tema delle manifestazioni convocate nel 1990, non appena Andreotti, pressato dai magistrati, rivelò in Parlamento l'esistenza di una rete paramilitare occulta – nome in codice, Gladio – che si sarebbe attivata nel caso di un'invasione sovietica. Perché i comunisti, pur avendo alle spalle una storia speculare e opposta a quella della Dc, reagirono in quel modo?

Ci sono diverse spiegazioni. La prima è che l'innesto di alcuni ex magistrati come Luciano Violante nel gruppo dirigente del partito aveva finito per cambiarne la cultura. Voglio dire che la mutazione genetica che aveva subito Magistratura democratica durante gli anni di piombo, attraverso Violante, aveva contagiato anche il Pci. Magistratura democratica era nata per iniziativa di giudici di eccezionale valore che, sulla scorta dell'insegnamento di grandi giuristi del dopoguerra, rifiutarono il formalismo giuridico in nome di una visione liberale e con un contenuto sociale del loro magistero. Con il terrorismo questa visione cambiò profondamente: o perché colpiti in prima persona o per reazione all'inerzia dello Stato, i giudici invocarono una legislazione di emergenza. E sul terreno della lotta al terrorismo, avvenne l'incontro con il Pci. Grazie a Violante, che era magistrato a Torino, i rapporti tra giudici e partito divennero strettissimi.

Giuliano Ferrara, che proprio in quegli anni era uno dei dirigenti del Pci torinese, ha raccontato che le riunioni della commissione giustizia del partito erano affollate di magistrati come Violante e Caselli.

Appunto, si fanno tanto stretti quei rapporti, da trasformarsi in un vero e proprio connubio. Comincia a nascere un "partito delle procure" e si forma quasi una corrente di pensiero secondo cui i problemi politici si risolvono con i processi. Con la crisi del Pci, di fronte al calo dei consensi elettorali e all'incapacità di sviluppare una politica di alleanze in grado di portare il partito al governo attraverso libere elezioni, nella cultura della stessa base del Pci si afferma sempre più l'idea che possa essere il magistero penale a cambiare la società.

Di fronte alla piazza che processa la Dc per Gladio, Cossiga ha una reazione d'orgoglio: si assume personalmente e per intero la responsabilità dell'anticomunismo di Stato. Il Pci (già Pds) risponde promuovendo l'azione per un impeachment del presidente della Repubblica, e a stilare i capi di imputazione contro di lui è proprio Violante...

Quando esplode il caso Gladio, il Pds è già fortemente permeato di questa cultura giustizialista e Violante è capogruppo alla Camera, quindi ha un ruolo molto importante. È stato un errore: anziché essere oggetto di un'analisi storico-politica, come sarebbe stato giusto, Gladio diventa il pretesto per un processo da celebrare contemporaneamente nelle aule giudiziarie, nelle piazze e in Parlamento. L'avversario, insomma, diventa un delinquente, uno che ha violato le regole, che ha rubato, che ha attentato alla Costituzione e che ora dovrà rispondere di tutte le malefatte.

Ammetterà che non era semplice far finta di niente, di fronte alla notizia che esisteva un esercito clandestino composto da militari e civili, e al sospetto che quell'esercito sarebbe intervenuto nel caso in cui il Pci fosse andato al governo. Del resto, proprio lei ha raccontato che cosa avvenne all'ombra di Gladio.

Gladio era una cosa, quello che avvenne all'ombra di Gladio era un'altra cosa ancora. La rete Stay Behind era all'interno della Nato e si sarebbe attivata per compiere operazioni di sabotaggio dietro le linee, in caso di invasione sovietica. Si può discutere sulla legittimità o meno, ma non sul fatto che nel contesto della guerra fredda fosse necessaria una struttura del genere. Quanto alle degenerazioni dell'anticomunismo di Stato, ci furono, eccome. In una certa misura furono anche tollerate e coperte. Ma erano schegge impazzite che tendevano a colpire innanzitutto il dialogo tra Dc e Pci, quindi anche i gruppi dirigenti dei due partiti. Del resto, abbiamo visto come anche la storia del Pci non fosse del tutto cristallina, con suoi legami con l'Urss e i suoi ardori rivoluzionari. Ci furono degenerazioni anche all'ombra dell'apparato comunista, fino a un certo punto vennero anche tollerate e coperte, ma erano, anche quelle, schegge impazzite che tendevano a colpire innanzitutto il dialogo tra Dc e Pci, quindi i gruppi dirigenti dei due partiti. Il giustizialismo di Violante semplificò le cose rimuovendo una parte della storia italiana, la propria, e gettando la croce interamente addosso all'avversario, demonizzandolo e criminalizzandolo. Il tentativo di impeachment, nei confronti di un capo dello Stato che proponeva al Paese la rottura del patto di indicibilità e un'operazione di verità, fu una colossale sciocchezza politica e una sostanziale ingiustizia.

Proprio questo disse allora il senatore Emanuele Macaluso, un dirigente comunista che non ha mai avuto paura di esprimere opinioni controcorrente, pagandone spesso un prezzo all'interno del suo partito. Ma la sua fu una voce isolata.

Ricordo il memorabile intervento di Macaluso nella riunione del gruppo al Senato. Intervenni anch'io, per esprimere una posizione mediana tra la sua e quella giustizialista. Non mi schierai con lui fino in fondo, e oggi ne sono pentito. Perché Macaluso aveva pienamente ragione. Era un'ingiustizia, perché non si poteva formulare l'accusa di attentato alla Costituzione nei confronti di un capo dello Stato senza la ragionevole certezza di poterla sostenere. Ed era un errore politico, perché tendeva a far evolvere un conflitto politico, che poteva avere anche una sua legittimità, in una vicenda giudiziaria. Macaluso vedeva più lontano di tutti. E infatti, nella legislatura successiva, tutto si sgonfiò e finì a tarallucci e vino.

Finì così perché Cossiga si era dimesso con qualche mese di anticipo rispetto alla scadenza naturale del suo mandato.

Sì, ma se aveva davvero attentato alla Costituzione, il reato non si poteva certo estinguere con le sue dimissioni. Lasciarono perdere perché forse qualcuno nel partito si era reso conto della fesseria. O molto più probabilmente perché in quel momento l'attacco a Cossiga non serviva più: l'obiettivo politico era stato raggiunto, l'azione giudiziaria, dunque, non aveva più senso.

Dopo la caduta del Muro, il Pci si scioglie per trasformarsi in Pds: è una rottura radicale con la propria storia. Poi però tenta di processare un capo dello Stato che ha messo gli eredi del Pci di fronte a una semplice verità: la storia della prima Repubblica, nel bene e nel male, è il prodotto di ciò che noi democristiani e voi comunisti eravamo. È una contraddizione che si spiega solo con il giustizialismo di Violante?

No, anche con un incredibile errore di valutazione compiuto da Occhetto. Il vero limite della sua svolta fu illudersi che la questione comunista in Italia si potesse risolvere attraverso una pura operazione di facciata. Perché il Congresso di Rimini, in cui si decise di cambiare nome e simbolo del Pci, questo fu, una mera operazione di facciata. Gli uomini del Pds erano gli uomini del Pci. E gli uomini del Pci avrebbero dovuto sintonizzarsi con Cossiga e partecipare all'operazione di verità facendo, con orgoglio ma con sincerità, innanzitutto la propria storia. La cosa che a me ha sempre fatto impressione è che, dopo Rimini, la storia del Pci, nel bene e nel male, sia stata completamente cancellata dalla memoria del nuovo partito. E tutte le volte che ponevi questo problema, ti trattavano come un fastidioso rompiscatole.

Sta dicendo che la svolta era poco credibile perché il passato che si voleva rimuovere in realtà sopravviveva attraverso gli uomini?

Il gruppo dirigente del Pds era un pezzo del gruppo dirigente del vecchio Pci e quei pochissimi dirigenti che non venivano da quella storia furono subito emarginati. Stefano Rodotà, per esempio: gli diedero la presidenza onoraria del partito, dopodiché lo misero nella condizione di andarsene. Avrebbe potuto fare il presidente della Camera, ma glielo impedirono perché quella carica era per un altro uomo del vecchio Pci, Giorgio Napolitano. In sostanza voglio dire che all'interno del Pds, tutti quelli che arrivavano da un'esperienza diversa, non potevano avere un ruolo dirigente perché non facevano parte della storia del Pci con le sue tante luci e le non poche ombre. L'identità comunista ha continuato ad avere un peso fortissimo nel gruppo dirigente del Pds e poi dei Ds. Era sotto gli occhi di tutti, e loro facevano finta che il problema non esistesse. E quando Cossiga invitò tutti alla "grande confessione", il Pds reagì in quel modo perché riteneva che il problema non lo riguardasse più, perché Occhetto aveva sciolto il Pci e fondato un altro partito.

Ricordo la dichiarazione di Occhetto, quando Macaluso rivelò la notizia dell'attentato a Berlinguer in Bulgaria. Disse testualmente: «Non mi occupo di queste cose, io sono il segretario del Pds».

Poteva sembrare un atteggiamento furbo, in realtà svelava una ingenua fragilità. Il Pci era stato parte importante della storia di questo Paese, una questione comunista faceva parte della storia di questo Paese, e gli eredi di quel partito non potevano disinteressarsene. Anche perché, a costo di apparire troppo severo nei confronti della mia parte politica (ma è giusto essere severi innanzitutto con se stessi), va ricordato che Occhetto cambiò nome al Pci solo quando l'Urss e il Patto di Varsavia praticamente non esistevano più. E lo fece in modo confuso e con lentezza: impiegammo tre congressi e due anni. Ricordo gli ultimi due congressi della svolta: non si capiva niente, chi fossimo, dove andassimo, quale fosse la nostra dottrina economica. L'unica certezza che c'era, nel partito che stava nascendo, era che le procure avrebbero fatto pulizia. La verità è che, scomparso Berlinguer, il partito ha trovato una costante difficoltà nell'elaborare una nuova cultura cui affidare le strategie politiche che nel tempo è andato elaborando.

Possibile che Occhetto fosse così ingenuo, come dice lei, da pensare che bastasse cambiare nome e simbolo per risolvere tutti i problemi? Aveva ancorato la sua nuova barca al mondo laico-azionista e agli ambienti tecnocratici che quel mondo esprimeva. E questo, probabilmente, gli dava la sicurezza di aver superato tutti gli esami e che nessuno gli avrebbe più rinfacciato il suo passato comunista.

Se pensava una cosa del genere, e probabilmente la pensava davvero, era ancora più ingenuo. Quei poteri tecnocratici che invocavano il governo "dei migliori" non avrebbero mai consentito un'egemonia di Occhetto, non si sarebbero mai fatti governare da lui, perché si ritenevano superiori. Semmai, lo avrebbero utilizzato, come infatti fecero.

Cossiga, dunque, offre ai dirigenti del Pds un terzo compromesso storico, dopo quello tra De Gasperi e Togliatti, e tra Moro e Berlinguer. Il rifiuto di Occhetto quali conseguenze ha sulla politica italiana?

Conseguenze catastrofiche: l'incapacità dei due nemici della guerra fredda di trovare un accordo ha aperto una lunghissima transizione che stiamo vivendo ancora oggi. Se dopo la caduta del Muro avessimo avuto un ceto politico del valore di un De Gasperi o di un Togliatti, di un Moro o di un Berlinguer, la guerra civile italiana si sarebbe chiusa rapidamente. Perché dopo il bagno di verità, ci sarebbe stata una stretta di mano e si sarebbe costruito insieme il nuovo sistema politico dell'alternanza. E invece, ancora una volta, la ferita si è riaperta. La fase che abbiamo vissuto all'inizio degli anni Novanta è stata tra le più drammatiche della storia repubblicana.

Non rischia di essere un po' ingeneroso nei confronti di Occhetto? Gli crollò un mondo addosso e, mentre lui cercava di uscire dalle macerie, gli si chiedeva di fare una cosa che la sua gente non avrebbe mai accettato. I suoi elettori ricordavano che c'erano state delle stragi, che c'era stato il terrorismo, che la P2 aveva complottato, e poi Gladio, e gli scandali, la corruzione... Se Occhetto avesse detto: va bene, chiudiamo tutto con una stretta di mano, lo avrebbero impiccato.

Il problema è che nessuno aveva mai raccontato ai suoi elettori che il loro partito si era schierato per cinquant'anni dalla parte sbagliata, che non era estraneo al sistema di finanziamento della politica e che il terrorismo era nato dai suoi lombi. Gli elettori di Occhetto erano stati educati per mezzo secolo all'idea che il loro fosse il migliore dei mondi, quando la tragedia del comunismo era sotto gli occhi di tutti. Ma proprio questa era l'operazione di verità che avrebbe dovuto fare il Pds: aprire gli occhi alla propria gente. Capisco il dramma di Occhetto, perché in parte l'ho vissuto anch'io sulla mia pelle, e non voglio gettargli addosso tutta la croce: il limite non era soltanto suo, ma di quel gruppo dirigente del Pds.

Dovrà ammettere, però, che al gruppo dirigente del Pds non venne certo facilitato il compito, visto che i politici dell'altra parte erano completamente sordi a ogni sollecitazione.

È l'unica attenuante che può essere concessa. I politici dell'altra parte dovevano essere i primi a mettersi in discussione, ma non lo fecero, e Cossiga ne era preoccupatissimo. Conosceva il sistema in profondità e sapeva che, finita la guerra fredda, certe cose che erano state tollerate in nome dell'anticomunismo non sarebbero state più difendibili. Per questo voleva il perdono, perché si rendeva conto che era caduto lo scudo e quel sistema politico era indifeso di fronte a qualsiasi attacco giudiziario. La verità è che, dopo il crollo del Muro, occorrevano coraggio, senso della storia e lungimiranza da parte di tutti, destra e sinistra. Ma quella classe politica aveva poco di tutto questo. E ne pagò il prezzo.

9
Il disegno tecnocratico

Quanto fosse profonda l'insofferenza dell'opinione pubblica, lo si capì con il referendum elettorale promosso da Mario Segni nel giugno 1991: il sistema delle preferenze, a cui si attribuiva la degenerazione del costume politico, venne abrogato con il 95 per cento dei sì. Neppure quel segnale venne colto dai partiti?

I partiti di governo continuarono sostanzialmente a far finta di nulla, sperando che l'ondata si esaurisse presto. Mentre il Pds, che aveva appoggiato Segni, si convinse che, cavalcando la protesta, avrebbe spazzato via gli avversari. Ma erano pure illusioni, come avrebbero dimostrato le elezioni politiche dell'anno dopo: persero tutti i partiti tradizionali. Pds compreso, a riprova che l'opinione pubblica non riteneva credibile la svolta di Occhetto. La crisi maturò proprio tra il referendum e le elezioni politiche: in quel lasso di tempo, il castello politico e istituzionale costruito durante la guerra fredda mostrò improvvisamente tutte le sue crepe.

C'è una data nel calendario della politica italiana di cui ci si ricorderà ancora a lungo, è il 17 febbraio 1992. Quel giorno arrestarono a Milano Mario Chiesa, il presidente socialista del Pio Albergo Trivulzio, le cui confessioni avrebbero avviato il terremoto di Mani pulite.

Dall'arresto di Chiesa partì tutto, ma la data più importante secondo me è un'altra, è il 25 aprile di quello stesso anno, il giorno in cui, dopo Francesco Cossiga, eleggemmo Oscar Luigi Scalfaro alla presidenza della Repubblica. Nell'opinione pubblica montava in modo sempre più percepibile l'insofferenza verso un regime politico che tendeva a sopravvivere a se stesso a alle condizioni storiche che lo avevano determinato. E Scalfaro se ne fece interprete nel discorso d'investitura, scagliandosi contro l'istituto dell'immunità parlamentare, che secondo lui si era trasformato in una sostanziale impunità. Quelle parole suonarono come campane a morto per la prima Repubblica: erano un segnale non solo alla procura di Milano, ma a tutte le procure d'Italia.

Un segnale di via libera?

La procura di Milano dopo l'arresto di Chiesa si era fermata. Aveva accumulato moltissimo materiale istruttorio con cui avrebbe potuto aprire molte altre inchieste. Ma siccome l'obiettivo a cui miravano i giudici era la politica con il suo polmone finanziario, prima di proseguire volevano conoscere l'orientamento del nuovo capo dello Stato che era insieme il nuovo presidente del Csm. E quella frase di Scalfaro fu il segnale di via libera.

Perché Scalfaro diede quel segnale?

Non lo so. Probabilmente per il suo moralismo. Era stato un magistrato e all'interno della Dc era noto per le sue posizioni austere. All'inizio della sua carriera aveva schiaffeggiato in pubblico una donna per la sua scollatura troppo vistosa. Si narra che abbia più di una volta messo alla porta deputati del suo partito in odore di tangenti.

Scalfaro, però, non era un democristiano di quarta fila, era stato anche ministro dell'Interno e sapeva perfettamente qual era l'andazzo: eppure, non aveva mai aperto bocca per una denuncia. Perché si svegliò all'improvviso, dopo quasi mezzo secolo?

Probabilmente perché riteneva che certe pratiche potessero essere giustificate e tollerate in tempi di guerra fredda, non quando il nemico comunista non esisteva più. E comunque, negli anni Ottanta c'era stata una degenerazione non più tollerabile del costume politico. Perché i finanziamenti non erano dati solo ai partiti, ma anche ai singoli politici, che ostentavano persino le loro improvvise ricchezze, non spiegabili con le sole indennità parlamentari.

Lei visse quella stagione da protagonista, alla presidenza della Giunta per le autorizzazioni a procedere del Senato. Sulla sua scrivania passarono molti dei processi a esponenti della prima Repubblica. Che idea si è fatto di Mani pulite? Fu la "ghigliottina italiana", un golpe giudiziario o una provvidenziale opera di bonifica della politica italiana?

Voglio ripeterlo ancora una volta, a costo di apparirle noioso: il sistema politico italiano, che era stato modellato dalla guerra fredda, non poteva sopravvivere alla fine del comunismo, andava purificato attraverso un bagno di verità e quindi profondamente riformato per passare a una fase nuova. Questa esigenza non venne avvertita e il compito, che doveva essere della politica, se lo assunse la magistratura, che perseguì con determinazione un preciso disegno strategico.

Vuol dire che i magistrati andarono oltre i loro compiti?

Voglio dire proprio questo, che perseguirono con lucidità e determinazione un loro obiettivo: colpire la politica. Non dimenticherò mai un libro che uscì all'inizio degli anni Novanta, e che io lessi in francese, parlava della giustizia o il caos ed era il condensato della nuova ideologia che si stava diffondendo nella magistratura di diversi Paesi dopo il crollo del Muro. In quel libro c'erano una serie di interventi di giudici tedeschi, francesi, portoghesi e italiani (tra cui Gherardo Colombo, uno del pool milanese, e Bruti-Liberati), che teorizzavano la necessità di un nuovo mondo in cui la politica sarebbe divenuta una categoria evanescente...

Possibile? Teorizzavano un mondo senza politica?

Più o meno.

Ma i nomi che lei ha fatto sono di illustri magistrati, non di pazzi visionari.

La loro idea era che, caduti i muri, un mondo in cui i mercati si stavano globalizzando avrebbe per virtù propria distribuito meglio la ricchezza. Pensavano che si sarebbe attivata una sana concorrenza e che, quindi, il mercato non avrebbe più avuto bisogno della politica, vissuta soltanto come un elemento di perturbazione. Nella loro visione, sarebbe stato sufficiente un governo tecnocratico, che avrebbe arbitrato i giochi evitando che i politici si intromettessero. Una volta che tutto si fosse stabilizzato, che la partita si fosse giocata secondo le regole del mercato, che bisogno ci sarebbe stato della politica? Ci misi un po' di tempo, ma alla fine mi resi conto che la filosofia di Mani pulite era proprio quella illustrata nel libro su giustizia o caos.

Da che cosa lo capì?

La visione che all'inizio avevo di Mani pulite era quella filtrata dalla stampa, quella mitica di un pugno di eroici magistrati impegnati a far pulizia. Nel settembre del 1992, invece, analizzando attentamente il modo in cui era stata costruita dalla procura di Milano la prima richiesta di autorizzazione a procedere nei confronti di Severino Citaristi, l'amministratore della Dc, mi resi conto che Mani pulite era una cosa diversa da come appariva dalla lettura dei giornali. Capii, infatti, che i magistrati non volevano colpire la corruzione amministrativa, per come noi avvocati l'avevamo studiata sui libri di scuola, in realtà volevano colpire esclusivamente il finanziamento della politica, cioè il passaggio di denaro dalle imprese ai partiti attraverso una serie di nozioni nuove, in gran parte di derivazione sociologica (tipo "concussione ambientale").

Mi scusi, avvocato, dove sta il problema? I magistrati, com'era loro dovere, volevano colpire la politica corrotta.

Volevano colpire esclusivamente la politica. Era chiarissimo nella richiesta di autorizzazione a procedere nei confronti di Citaristi, che mi sorprese subito per la sua singolarità...

Lo spieghi, allora: com'era concepita?

L'inchiesta era su un appalto dell'aeroporto milanese della Malpensa. Che cos'era avvenuto? Si era costituita un'associazione temporanea di imprese, con un'impresa leader. Questa associazione, che corrispondeva grosso modo a un cartello politico-elettorale, si era aggiudicata l'appalto...

Cioè ogni impresa aveva un proprio referente politico?

Esatto. L'impresa leader aveva dato il contributo maggiore alla Dc, quindi a Citaristi. Le altre imprese avevano pagato gli altri partiti. Con una differenza, però. Mentre l'impresa leader aveva versato il danaro rispettando la legge sul finanziamento ai partiti (cioè con delibera del Consiglio di amministrazione e denuncia nel bilancio della Dc depositato in Parlamento), le altre imprese avevano fatto i loro versamenti in nero...

Quindi Citaristi era in regola: è questo che vuol dire?

Citaristi era in regola, ma era imputato lo stesso di corruzione, insieme con gli amministratori degli altri partiti e in concorso con pubblici ufficiali rimasti ignoti. Qual era il problema? Nel reato di corruzione, il protagonista è il pubblico ufficiale che compie la scelta amministrativa. In quel caso, dunque, i pubblici ufficiali che avevano assegnato l'appalto, non Citaristi e nemmeno gli amministratori degli altri partiti.

Non vorrà farmi credere che i politici non orientassero i pubblici ufficiali?

Certo che no. Voglio dire che, semmai, la loro responsabilità era proprio questa e di aver ricevuto dei soldi in nero. Ma i protagonisti del reato non erano loro, ma i pubblici ufficiali che aggiudicavano gli appalti: loro, però, rimanevano quasi sempre ignoti.

Sempre?

Sempre. Nelle commissioni che decidevano a chi affidare l'appalto, c'erano professionisti che non vennero mai inquisiti. La società civile non è stata toccata da Mani pulite, che ha puntato invece sui politici come protagonisti di un sistema corruttivo.

Lei allora come si comportò di fronte alla richiesta di autorizzazione a procedere nei confronti di Citaristi?

Dissi che non ero d'accordo, partendo dal presupposto che non c'era la prova che l'appalto fosse irregolare, tanto è vero che i magistrati non si erano nemmeno preoccupati di andare a vedere chi lo avesse aggiudicato. E aggiunsi che, in ogni caso, il finanziamento a Citaristi era avvenuto secondo le regole. Perciò proposi all'aula del Senato di pronunciarsi contro. La mia posizione era totalmente controcorrente. Il clima nel Paese era tale che mio fratello mi tolse il saluto per sei mesi, perché mi considerava un complice dei corrotti. A Lecce vissi momenti di forte impopolarità. Ma tutto il mio sforzo non servì a nulla perché poi Citaristi intervenne in aula per chiedere che venisse concessa l'autorizzazione contro di lui.

Perché lo fece: per debolezza o per un eccesso di sicurezza?

A quanto ne so non fu una sua scelta personale ma gli fu imposta. Era un segnale di debolezza della politica. Molti speravano di superare la buriana mettendosi al vento. Ma da allora, sul mio tavolo, arrivarono decine di altre richieste di autorizzazione a procedere nei confronti di Citaristi, per rimanere al caso simbolo di Mani pulite.

Erano tutte come la prima?

No, molte erano più gravi perché gli veniva contestato anche il finanziamento in nero. Me lo ricordo, il povero Citaristi. Era diventato il simbolo della corruzione politica. Eppure, raramente mi era capitato di conoscere un uomo più buono e onesto di lui. Una volta arrivò una richiesta di autorizzazione in cui gli si contestavano ben venticinque finanziamenti illeciti. Lui venne in Giunta, si sedette di fronte a me e tirò fuori dalla tasca una cartuccella. «Presidente» – mi disse – «questo non è esatto: non erano 300 i milioni, ma 350». Oppure diceva: «Questo sostiene di avermi passato 50 milioni, ma non è vero, non mi ha dato neppure una lira, secondo me ha detto agli altri di avermeli dati, ma se li è tenuti lui...». Era fatto così, Citaristi, era preciso e rassegnato. Sembrava un san Sebastiano di Mani pulite. Si era immediatamente convinto che avrebbe pagato per colpe non sue ma del sistema, sapendo che era stato messo a fare il segretario amministrativo della Dc proprio perché era onesto e stimatissimo: con tutti i soldi che gli passavano tra le mani, lui non avrebbe trattenuto per sé neppure una lira.

Però i pubblici ufficiali continuavano a restare ignoti?

L'andazzo era questo. I pubblici ufficiali restavano ignoti, benché sapessimo che i magistrati potevano tranquillamente identificarli. Ricordo un caso di appalto di un ospedale. Dalle carte che ci avevano mandato dalla procura di Milano risultavano i nomi del presidente del consiglio di amministrazione dell'ospedale e del presidente della commissione aggiudicatrice, che era il preside di una facoltà universitaria. Però loro due non risultarono fra gli inquisiti. Scrissi una lettera a Saverio Borrelli, il procuratore capo di Milano all'epoca di Mani pulite, per chiedere spiegazioni. La risposta fu: decidono i pm che cosa fare o non fare.

C'è un punto che però non mi è ancora chiaro. I magistrati presero sistematicamente di mira la politica, ma con altrettanta sistematicità ignorarono, come lei dice, la società civile. Che senso aveva? Qual era la logica di un comportamento del genere?

Segua il filo del mio ragionamento. I magistrati usavano uno schema fisso per le richieste di autorizzazione: le tangenti sono un elemento di distorsione del mercato, perché vince l'appalto, non il migliore, ma chi paga di più...

Scusi, ma questo era molto più di uno schema, era la realtà. Le tangenti, oltretutto, venivano scaricate sul costo dell'appalto, quindi sulla collettività.

Questo è fuori discussione. Non voglio assolvere la politica, anzi: mi sembra di aver già detto più volte e con estrema chiarezza che la cecità del sistema fu la causa fondamentale della sua crisi. Ma questo non significa che dobbiamo chiudere gli occhi di fronte a un'azione della magistratura che, pur doverosa, non fu sempre ciò che diceva di essere. Nello schema dei magistrati, dicevo, tutto partiva dalla premessa che gli appalti fossero pubblici. Una volta arrivò in Giunta una richiesta di autorizzazione per un appalto dell'Enel, in cui parlavano appunto di «appalto pubblico». Ma non poteva essere un appalto pubblico, perché gli appalti dell'Enel – e io lo sapevo – erano allora appalti di diritto privato. Allora scrissi a Borrelli chiedendo spiegazioni. Mi rispose in modo insieme furbo e sprezzante, inviandomi due casse di documenti che avevano sequestrato: lì dentro – mi scrisse – avrei potuto trovare tutti i chiarimenti che avevo richiesto. Aggiunse che la procura di Milano non aveva potuto esaminarli perché io tardavo a concedere l'autorizzazione a procedere che mi aveva richiesto.

E non aveva ragione Borrelli?

Non penso, perché Borrelli sapeva benissimo che gli appalti dell'Enel avevano natura privata. Il problema era un altro. In quel periodo la magistratura italiana andava elaborando un concetto estremamente elastico del reato di corruzione, in cui molte delle distinzioni tradizionali tra pubblico e privato venivano meno, e la stessa figura del pubblico ufficiale veniva enormemente a dilatarsi. Tant'è vero che persino la conduttrice televisiva Mara Venier venne inquisita per corruzione, solo perché aveva ricevuto compensi extra rispetto a quelli pattuiti con la Rai. Borrelli e i magistrati del pool milanese utilizzavano abilmente questo concetto elastico di corruzione per farvi rientrare tutti i finanziamenti della politica, anche se erano avvenuti nella forma prevista dalla legge.

Sta dicendo forse che i magistrati tendevano ad aggravare i reati?

Esattamente. Nella logica di Mani pulite, i finanziamenti di aziende ai partiti erano in sé corruttivi, perché i partiti non avrebbero potuto non ricambiare il favore, distorcendo il mercato. In tutte le democrazie occidentali, i finanziamenti delle aziende ai partiti sono invece ammessi, purché siano conoscibili dall'opinione pubblica.

In Italia però non erano quasi mai conoscibili.

Questo è vero. Ma il finanziamento irregolare costituiva in sé un reato; non c'era quindi necessità di considerarlo corruttivo. Ma la scelta dei magistrati di Mani pulite fu diversa, perché, se avessero agito soltanto per il finanziamento illecito della politica, gli italiani gli avrebbero riso dietro, in quanto tutti sapevano che la politica si finanziava irregolarmente. Loro, invece, avevano bisogno di innalzare tutto a corruzione o a concussione perché questo determinava un impatto mediatico e quindi creava nell'opinione pubblica un'ondata emotiva a loro favorevole. Se lo ricorda il caso Craxi? La Camera concesse l'autorizzazione a procedere nei suoi confronti per finanziamento illecito, la negò per corruzione: ci fu un'insurrezione popolare.

Sta dicendo anche che l'impatto mediatico era un elemento funzionale alla strategia di attacco alla politica perseguita dai magistrati, e che loro ne erano consapevoli?

Avevano un disegno e lo perseguivano esasperando la tecnica giuridica per provocare impatto emotivo. Ricordo un'intervista di Borrelli proprio sul nuovo ruolo dei giudici: diceva che il XIX secolo era stato il secolo dei Parlamenti, il XX quello degli Esecutivi e che il XXI sarebbe stato quello della Giurisdizione. Era un disegno, intendiamoci, che aveva anche una sua nobiltà. Solo che si basava sul presupposto sbagliato che, caduto il Muro di Berlino, la storia dell'uomo fosse finita e che la politica avesse esaurito la propria funzione, perché ormai si andava verso la pace universale garantita dalla globalizzazione.

Il disegno tecnocratico che emergeva anche dalle pagine del libro, su giustizia o caos, da lei citato?

I magistrati si sentivano la punta di una piramide tecnocratica che comprendeva altri poteri, come le banche centrali e la grande finanza internazionale.

A proposito, lei ricorderà l'incontro sul panfilo Britannia, alla vigilia delle grandi privatizzazioni, tra banchieri inglesi e alcuni esponenti della tecnocrazia italiana? Mani pulite non era ancora esplosa, ma già allora si diceva che Bettino Craxi avrebbe pagato un prezzo per la sua opposizione alle privatizzazioni.

Di quell'incontro sul Britannia io non so niente, a parte le notizie pubblicate qua e là dai giornali. Posso però raccontare un episodio di cui sono stato testimone, che riguarda proprio le privatizzazioni. Era ministro delle Finanze Giuseppe Guarino, uno dei maggiori amministrativisti italiani, e ministro del Tesoro era Barucci, che veniva dalle file del Credito italiano. Guarino voleva creare due grandi holding in cui si sarebbe concentrato l'intero universo delle partecipazioni statali, in modo che le privatizzazioni avvenissero tutte insieme. Però un'operazione del genere doveva godere almeno di un'opposizione morbida da parte del Pds. Il capogruppo del Pds in commissione Finanze del Senato, di cui io allora facevo parte, nutriva qualche perplessità sull'idea di Guarino. Barucci e Carlo Scognamiglio ci invitarono a cena per parlarne. A un certo punto, Barucci si allontanò per andare a rispondere al telefono. Quando tornò, ci disse nello sconcerto che era saltato tutto perché Craxi si era opposto al disegno di Guarino. In seguito ho più volte chiesto a Guarino di spiegarmi cosa fosse successo ma lui glissò, non volendo affrontare l'argomento.

Lei si è fatto un'idea di quello che poteva essere accaduto?

Con precisione, no. Certo, Guarino fa parte dell'alta tecnocrazia essendo stato sempre vicino alla Banca d'Italia. E alla deriva tecnocratica ha anche dedicato un libro molto bello, intitolato *Verso l'Europa, ovvero la fine della politica*[1]. Tutto torna. Se si mette insieme il libro di Guarino e quello dei magistrati sulla giustizia o il caos, ci si accorge che c'era un disegno tecnocratico complessivo rispetto al quale la politica della prima Repubblica e personaggi come Craxi potevano costituire un ostacolo.

In quello stesso periodo, mentre i giudici di Mani pulite demolivano i partiti, si scatenò anche la mafia. Prima con l'uccisione dei giudici Falcone e Borsellino e del proconsole andreottiano in Sicilia, Salvo Lima, poi con una serie di stragi. Secondo lei, c'è un rapporto di causa-effetto tra Mani pulite e le azioni della mafia?

Qui bisogna distinguere. L'assassinio di Falcone e Borsellino va inserito nello stesso contesto della crisi del sistema dopo la fine della guerra fredda, ma con una lettura diversa. La mano di quei due omicidi è sicuramente mafiosa. Sulla mente, invece, avrei qualche dubbio. Secondo un'ipotesi accreditata negli ambienti politici, con l'eliminazione di due magistrati di quello spessore, di quella intelligenza e con il loro bagaglio di conoscenze, vennero tolti dalla scena due personaggi pericolosi, che avrebbero potuto mettere a fuoco il ruolo della mafia durante la guerra fredda. Non dimentichiamo che, per lo sbarco in Sicilia, gli americani si servirono della mafia. E dopo la guerra, strinsero un patto ancora più forte con i boss. La mafia ha avuto in Sicilia lo stesso ruolo che Gladio e le altre strutture clandestine ebbero nel resto del Paese.

Falcone e Borsellino potevano dunque costituire una minaccia per quei settori che nella guerra fredda avevano utilizzato anche la mafia?

Costituivano una minaccia per chi non voleva che, crollando il sistema della guerra fredda, venissero alla luce tutte le complicità e le protezioni accordate ai livelli internazionali. Falcone venne ammazzato proprio mentre noi stavamo eleggendo Scalfaro alla presidenza della Repubblica...

Quindi, se qualcuno fece arrivare un segnale alla mafia, lo fece perché sapeva che cosa sarebbe accaduto dopo l'elezione di Scalfaro? È questo che vuol dire?

Qualcosa del genere può essere effettivamente accaduta.

E le stragi del 1992-93?

Quelle furono le reazioni della mafia militarizzata dei corleonesi alla rottura del patto strategico con l'oltranzismo anticomunista durante la guerra fredda, e al "tradimento" da parte del potere politico, che per decenni aveva tenuto un rapporto tutto sommato ambiguo con le cosche storiche. Quando però si resero conto che con le bombe non avrebbero ottenuto alcun risultato, cambiarono strategia e usarono i pentiti.

I pentiti?

I pentiti, certo. Se si esaminano i documenti dei processi, si scopre che le prime dichiarazioni di mafiosi e camorristi pentiti contro Andreotti e Gava furono raccolte praticamente negli stessi giorni in cui, dopo il discorso di Scalfaro, le Camere cominciarono a concedere le autorizzazioni a procedere. Quando ho accertato questa contemporaneità, ne sono rimasto annichilito. Era come se, improvvisamente, mafia e camorra avessero capito che la politica non si sarebbe più difesa dall'attacco giudiziario e avessero deciso di inserirsi nel gioco.

Ma che partita potevano giocare, mafiosi e camorristi?

Una partita assai più sottile di quanto non si sia mai pensato, e di cui soltanto adesso cominciamo a renderci conto. I pentiti della prima generazione, i Buscetta e i Mannoia, per intenderci, erano tutto sommato attendibili, perché avevano parlato del rapporto tra mafia e politica in termini realistici, descrivendo quella zona grigia in cui gli interessi dell'una e dell'altra, durante la guerra fredda, finivano per incrociarsi. Tutti quelli della seconda generazione, invece, erano pentiti che agivano su un preciso mandato dei loro capi. Come Di Maggio, che si inventò la storia del bacio di Andreotti a Riina. E la magistratura, che li sollecitò e strapagò, credendo a una serie di notizie non vere, si fece strumento di una trappola mafiosa...

Una trappola, lei dice?

Con i pentiti a comando, la mafia ottenne due risultati: nell'immediato, la punizione dei politici che avevano tradito il vecchio patto, bruciandone le carriere; in una prospettiva più lunga, il fallimento dei processi, che si conclusero tutti con l'assoluzione e la crisi dell'istituto dei pentiti.

10
Fenomeno Berlusconi

Quando nel 1992 lei presiedeva la Giunta per le autorizzazioni a procedere del Senato, il suo compagno di partito Violante guidava la Commissione parlamentare antimafia. Mentre lei esaminava la richiesta di autorizzazione nei confronti di Andreotti inviatale dalla procura di Palermo, Violante stava scrivendo la sua relazione conclusiva sui rapporti tra mafia e politica: quella relazione, secondo molti, legittimò sul piano parlamentare il processo giudiziario contro uno dei leader storici della Dc. Lei come visse quel delicato passaggio?

In quel momento la differenza tra me e Violante risaltò in pieno. Fin dall'inizio mi ero convinto che, per la credibilità del sistema politico e del regime democratico, fosse opportuno che l'autorizzazione a procedere nei confronti di Andreotti venisse concessa, ma con il consenso del diretto interessato. Lavoravo per raggiungere questo obiettivo, mentre Violante si muoveva evidentemente in direzione diversa. E il partito era d'accordo con lui. Me ne resi conto quando venni convocato dall'allora coordinatore della segreteria, Davide Visani, che mi fece questo discorso: «La Dc non consentirà mai che venga concessa l'autorizzazione nei confronti di Andreotti. Noi sappiamo che tu come presidente della Giunta hai voluto mantenere una posizione super partes, non esprimendo mai il tuo voto. Questa volta non potrai permettertelo. Dovrai votare a favore dell'autorizzazione e siccome finirai in minoranza, dovrai dimetterti».

Che senso aveva? Qual era lo scopo che si prefiggevano i dirigenti del suo partito?

Il disegno era chiaro: il rifiuto dell'autorizzazione a procedere avrebbe creato una rivolta nell'opinione pubblica e noi avremmo potuto cavalcarla, traendone un vantaggio politico ed elettorale. In realtà il Pds pensava che il processo giudiziario ad Andreotti non si sarebbe mai celebrato, quindi bisognava fargli il processo politico e bisognava farglielo nella Commissione antimafia e nelle piazze. Violante, di fatto, doppiò l'inchiesta del giudice Caselli a Palermo: i pentiti prima venivano sentiti da Caselli e poi da Violante; c'era quasi una sinergia tra l'Antimafia e la procura palermitana. È un metodo che più tardi come presidente della Commissione stragi non ho mai voluto seguire, perché non ritengo corretto che il Parlamento "doppi" le inchieste giudiziarie. In molte costituzioni questo è addirittura vietato. Nella nostra è invece consentito, ma non tutto ciò che è permesso può ritenersi opportuno. In settori così delicati l'autolimite è scelta virtuosa.

Lei che cosa rispose a Visani?

Che avrei tenuto conto del loro punto di vista; ma che avrei comunque tentato di guidare la Giunta verso il traguardo che ritenevo opportuno: la concessione dell'autorizzazione senza una mia partecipazione al voto. Visani mi disse: provaci pure. Ma mi guardò come se fossi pazzo. Evidentemente riteneva il mio un obiettivo impossibile. Io invece continuai a perseguirlo. Preparai un documento in cui spiegavo perché era necessario concedere l'autorizzazione a procedere, e lo feci leggere in anteprima ad Andreotti, perché volevo che l'accettasse. Ma mentre io ero impegnato in questo delicato lavoro diplomatico, Violante propose all'Antimafia la sua relazione: di fatto una sentenza di condanna anticipata nei confronti della Dc e di Andreotti. A quel punto il mio compito divenne più difficile, perché era assai probabile che la Dc e Andreotti si irrigidissero e votassero contro la mia proposta. Ma non fu così. Le cose andarono proprio come volevo grazie anche al coraggio di un commissario socialista, l'avvocato Giorgi, che in Giunta votò contro le indicazioni del suo gruppo, e alla saggezza di Andreotti, che in aula chiese che l'autorizzazione a procedere venisse concessa, sdrammatizzando il problema.

Insomma, l'idea del gruppo dirigente del Pds era di puntare sul tanto peggio tanto meglio: la radicalizzazione dello scontro politico avrebbe spinto i partiti di governo su posizioni di maggiore chiusura, la loro insensibilità avrebbe provocato un'ondata emotiva nell'opinione pubblica e Occhetto l'avrebbe cavalcata vittoriosamente. Era proprio questo il programma?

Ma certo che era questo. Tant'è che, quando nel 1993, la Camera negò l'autorizzazione a procedere per corruzione nei confronti di Craxi e ci fu una rivolta, con sputi e lancio di monetine davanti all'albergo dove viveva il segretario socialista, il Pds la cavalcò. Eravamo appena entrati nel governo Ciampi e ritirammo improvvisamente i nostri ministri, mentre si apprestavano a giurare nelle mani del presidente della Repubblica. Da quel momento il Pds smise del tutto di fare politica per abbandonarsi a una deriva giustizialista. Qual era il ragionamento? Non siamo andati al governo del Paese perché ce l'hanno impedito con le bombe, i tentativi di colpi di Stato e con la mafia. Ora è giunto il momento di fare piazza pulita...

Quindi, se l'intenzione era di cavalcare la protesta dell'opinione pubblica, il Pds non poteva sporcarsi le mani con governi che sapevano ancora di prima Repubblica. È questa la ragione per la quale ritirò i suoi ministri?

Non potevamo sporcarci le mani, sì. Ci sfilammo dal governo perché volevamo accelerare la crisi della prima Repubblica. Il gruppo dirigente del partito era convinto che, cavalcando la protesta popolare e con una riforma elettorale maggioritaria, un partito del 17 per cento, quale era allora il Pds, avrebbe conquistato la maggioranza assoluta dei seggi. Questa è la verità.

Però come lei ha spiegato finora, non era del Pds il vento che sollevava l'ondata di protesta...

No, il vento non era di sinistra, era tecnocratico e giustizialista. Occhetto mise la vela a quel vento convinto che la barchetta pidiessina sarebbe diventata la nave ammiraglia di un movimento che era ancora informe politicamente.

Però il governo da cui Occhetto si sfilò era presieduto da Carlo Azeglio Ciampi, il più illustre esponente di quella tecnocrazia che soffiava sul fuoco di Mani pulite. Ministro del Tesoro di quel governo era Giuliano Amato (l'unico dirigente del Psi craxiano sopravvissuto alla falcidia delle procure), altro esponente di quel mondo. Il Pds era già sul ponte di comando della corazzata che stava guidando l'Italia fuori dal regime della guerra fredda: possibile che i suoi dirigenti non se ne fossero resi conto?

Occhetto e parte del gruppo dirigente pensavano di avere il monopolio dell'astuzia. Come ho già spiegato, si erano illusi che potesse bastare cambiare nome e simbolo per risolvere definitivamente la "questione comunista" in un Paese come l'Italia, per decenni profondamente impregnato di anticomunismo. Ritenevano che, con la svolta, avrebbero definitivamente cancellato il proprio passato e che, quindi, non avrebbero più avuto bisogno di altra legittimazione da parte dei ceti dirigenti del Paese. Erano convinti che ce l'avrebbero fatta a imporre una propria egemonia. In questo aiutati dalle nuove regole elettorali e dall'azione repressiva dei giudici che stava colpendo soprattutto democristiani e socialisti. Erano proprio convinti di questo.

Lei provò ad arginare quel vento giustizialista. Al di là dell'antipatia che poteva procurarle la sua posizione politicamente scorretta, ebbe altri problemi nel partito?

Provarono a fare una sorta di processo politico a me e a Giovanni Correnti, un nostro deputato membro della Giunta per le autorizzazioni alla Camera, un bravo avvocato penalista che era sulle mie stesse posizioni garantiste. Un giorno, all'insaputa l'uno dell'altro, venimmo convocati alle Botteghe Oscure, dove allora c'era la sede nazionale del partito, e ci trovammo di fronte a un autorevole gruppo di dirigenti, quasi una sorta di commissione disciplinare.

Qual era l'accusa?

Il ruolo di pubblico accusatore fu sostanzialmente assunto da un deputato pugliese, Antonio Bargone, allora su posizioni fortemente giustizialiste, il quale si rivolse a noi dicendo che non avremmo dovuto criticare pubblicamente l'operato della magistratura. Ricordo la sua frase testuale: «Le sentenze si criticano con gli appelli, non dai banchi del Parlamento». Correnti reagì male, si innervosì, sbatté le carte sul tavolo e se ne andò. Io invece rimasi e, guardando Bargone negli occhi, gli risposi che ero un vecchio avvocato, leggevo sentenze da una vita e di volta in volta me ne facevo un'idea: potevano essere giuste o sbagliate, e quando le ritenevo sbagliate, dirlo faceva parte del mio diritto di uomo libero. E aggiunsi che se questo al partito non stava bene, mi sarei subito dimesso da presidente della Giunta per le autorizzazioni e da senatore, e me ne sarei tornato tranquillo a fare l'avvocato, continuando a sentirmi libero di dissentire anche pubblicamente da decisioni giudiziarie che non condividevo.

E loro, i dirigenti del suo partito?

Coordinava la riunione Giglia Tedesco, vicepresidente del Senato, una donna intelligente che mi stimava e mi voleva bene. Allargò le braccia e disse: «Pellegrino ci pone dinanzi a un caso di coscienza; non possiamo che prenderne atto». E la cosa si arrestò lì.

Di quel gruppo dirigente faceva parte anche Massimo D'Alema. Può chiarire una volta per tutte un punto controverso: era o no d'accordo con Occhetto sulla linea giustizialista?

Non era d'accordo con Occhetto, però inizialmente stette al gioco, pur avendo una cultura garantista e una profonda diffidenza per le tecnocrazie giudiziarie. Allora era presidente del gruppo della Camera e gli chiesi un colloquio per esprimergli le mie perplessità su Mani pulite. Mi liquidò con poche parole, dicendomi di lasciar perdere, perché era in atto una rivoluzione. E le rivoluzioni, da che mondo è mondo, avevano sempre implicato un prezzo di sangue con le ghigliottine e i plotoni di esecuzione. Quindi erano ben accettabili, in Italia, un avviso di garanzia o un mandato di cattura di troppo di fronte alla portata rivoluzionaria di Mani pulite. Anche se avessero colpito qualche nostro compagno, come nel frattempo stava avvenendo.

In seguito, però, sui magistrati di Mani pulite disse cose diverse. Perché cambiò idea?

Se posso esprimere una mia opinione, all'inizio D'Alema era convinto che Violante, con la sua influenza nella magistratura, potesse proteggerci sufficientemente dall'azione dei giudici. Poi Tiziana Parenti cominciò a prendere di mira le fonti finanziarie del Pci-Pds e del sistema di imprese che ruotavano intorno al partito, arrestando Renato Pollini, che del Pci era stato l'ultimo tesoriere. In tal modo la situazione si fece pesante anche per il Pds. Qualche tempo dopo, rividi D'Alema a Lecce, andammo a cena insieme. Mi lasciò parlare per circa due ore, ascoltandomi con attenzione e senza mai interrompere. Alla fine mi disse che era d'accordo con me, anche se non su tutte le cose che dicevo, e mi chiese di continuare la mia battaglia, lui mi avrebbe coperto le spalle. Devo riconoscere che è stato di parola, mi ha sempre sostenuto anche quando un gruppo di senatori guidati da Pino Arlacchi propose addirittura la mia espulsione dal gruppo.

L'attacco dei giudici contro il Pds non ebbe lo stesso effetto devastante che aveva avuto sui partiti di governo. Eppure i co-

munisti, come abbiamo visto, non erano estranei al sistema di finanziamento irregolare della politica. Perché Mani pulite salvò gli eredi del Pci?

Ci provarono, e anche pesantemente, contro di noi. Solo che l'attacco al Pds fallì. Innanzitutto per una certa fretta di un magistrato che nel pool milanese si occupava delle cooperative rosse, la Parenti. I suoi colleghi, a cominciare da Antonio Di Pietro, si muovevano soltanto dopo aver raccolto prove robuste, non anticipavano mai una mossa. Lei invece si lanciò a testa bassa contro il povero Marcello Stefanini, il tesoriere del Pds, che poi ne morì, puntando su una questione fiscale. Quando lessi la richiesta di autorizzazione nei confronti di Stefanini, si capiva che era fragilissima, che dietro non c'era l'eccezionale capacità investigativa di un Di Pietro o l'alto tecnicismo di un Davigo.

Il Pds si salvò solo per la superficialità investigativa di un magistrato? Ammetterà che è difficile crederlo.

E infatti non fu solo per quello. Quando i magistrati estesero la loro indagine al rapporto tra il partito e le cooperative, vennero sommersi da un mare di carte e si resero conto che i flussi di danaro dalle cooperative al Pci non erano dazioni in nero, ma costituivano l'esecuzione di contratti (per lo più pubblicitari) ed erano quindi tutte sorrette da una documentazione formale, che in qualche modo le giustificava. Siccome i magistrati milanesi erano persone intelligenti, fecero un calcolo dei costi e dei benefici e si resero conto che, se attraverso un'ulteriore forzatura avessero qualificato come corruttivi anche i flussi finanziari dal sistema delle cooperative verso il Pci-Pds, lo schema formale seguito nell'intera inchiesta avrebbe potuto non tenere. E lasciarono perdere.

Lasciarono perdere i giudici di Milano, non Carlo Nordio, della procura veneziana, che inquisì Occhetto e D'Alema. Eppu-

re, anche in quel caso tutto si sgonfiò. Che cosa bisogna pensare, che il Pds avesse dei santi in paradiso?

Nordio provò un'altra direzione d'attacco, utilizzando come strumento il reato di concorso in bancarotta fraudolenta. Una cooperativa che aveva passato soldi al partito era fallita: secondo Nordio perché si era svenata troppo a vantaggio del Pci-Pds. Però tutto questo si scontrava con la difficoltà di provare che i vertici del partito fossero a conoscenza della situazione finanziaria della cooperativa. Ma siccome questa prova non c'era, anche Nordio dovette arrendersi. Quindi non è che gli eredi del Pci fossero protetti, come pensavano all'inizio. E non è nemmeno vero, come ha sostenuto poi Berlusconi, che le toghe fossero "rosse", cioè politicamente guidate dal Pds. Questa è una colossale stupidaggine...

Se lo stesso D'Alema era convinto che Violante avrebbe protetto il partito, ammetterà che i sospetti di Berlusconi potessero anche avere una loro legittimità?

Come sospetti; smentiti però dalla realtà. Violante non riuscì a proteggere il Pds, tant'è che le inchieste coinvolsero non solo i tesorieri del partito (Pollini e il povero Stefanini), ma anche Occhetto e D'Alema. Le indagini non ebbero alcuno sbocco solo perché gli strumenti utilizzati dalla magistratura per trasformare il finanziamento irregolare della politica in un universo corruttivo non potevano funzionare con i pidiessini, data la specificità del modo in cui si finanziavano.

Dal punto di vista della forma è sicuramente vero. La sostanza, come lei ha spiegato nel corso di questa intervista, è che il Pci, pur con le sue specificità, aveva partecipato alla grande distribuzione. Quando Craxi, alla Camera, chiese ai partiti di dire che ignoravano come si finanziava la politica, neppure un parlamentare si alzò per dichiarare: «Io non ne sapevo niente».

In quel discorso alla Camera, Craxi disse la pura verità: il finanziamento irregolare della politica era noto a tutti, magistrati compresi. Ma nessuno ne parlava, perché faceva parte del patto di indicibilità che legava l'intera classe dirigente del Paese durante la guerra fredda. Il problema era che Craxi lo disse in ritardo e da accusato. Lui aveva perso l'occasione di rispondere per primo e positivamente all'appello che Cossiga nel 1991 aveva rivolto a tutte le componenti del sistema politico, incitandole a una grande confessione e a una grande riforma.

Ma se il Pds allora gli avesse teso una mano, probabilmente il sistema non sarebbe esploso e il passaggio dalla prima alla seconda Repubblica sarebbe avvenuto in modo meno traumatico. C'è chi lo pensa. Lei è d'accordo?

Purtroppo, tutti avevano già perso l'occasione per uscire in modo dignitoso da quella crisi irridendo Cossiga o criminalizzandolo. Quando Craxi fece quel discorso alla Camera, chiunque si fosse alzato per dire che era d'accordo con lui si sarebbe autocondannato all'esecrazione popolare. Ci voleva un atto di eroismo, l'ho già detto, ma i leader politici di quella fase erano quello che erano. Tuttavia, in quel Parlamento c'era ancora qualche margine per fare almeno delle riforme che consentissero di uscire da quel pantano. Non se ne fece niente perché Occhetto aveva altri programmi: Violante o non Violante, pensava che il Pds sarebbe uscito tutto sommato indenne dalla bufera di Mani pulite, mentre gli altri partiti sarebbero stati cancellati dalla geografia politica. Visto come andarono poi le cose, aveva sicuramente ragione dal punto di vista giudiziario. Ma da quello politico, fu un vero disastro.

C'era un margine, lei dice. Ma quello era il "Parlamento degli inquisiti", era totalmente delegittimato.

Era il "Parlamento degli inquisiti", non dei condannati. Se qualcuno si prendesse la briga di andare a vedere quanti di quei parlamentari inquisiti vennero poi effettivamente condannati, si renderebbe conto con sgomento che moltissime furono le esecuzioni sommarie. In quel clima da gogna che precedette il crollo della prima Repubblica, bastava un semplice avviso di garanzia per distruggere una carriera e in qualche caso, purtroppo, anche una vita. Quel Parlamento chiedeva solo di durare, nella speranza che la bufera si placasse, molte situazioni si chiarissero e che la portata di Mani pulite si ridimensionasse.

E nell'attesa, si potevano fare delle riforme?

Si poteva varare una riforma elettorale decente per uscire dal regime bloccato della guerra fredda. E intorno alla nuova legge elettorale, si poteva costruire l'impalcatura istituzionale del sistema dell'alternanza, con tutte le garanzie e i contrappesi necessari. Sbagliammo tutto, noi del Pds. Consentimmo che venisse cancellato l'istituto dell'autorizzazione a procedere, strumento a tutela dell'autonomia del potere politico rispetto al potere giudiziario. E si aprì la strada alla mattanza dei partiti di governo. Avevamo una sponda al Quirinale, e l'ansia di raccogliere i frutti sul piano elettorale era tale che facemmo in modo che quel Parlamento venisse sciolto anticipatamente. Non ci preoccupammo nemmeno di stabilire un rapporto con il centro moderato di Mario Segni, a cui sbattemmo in faccia la porta con arroganza, pur avendo condiviso con lui la battaglia referendaria. Occhetto era convinto che grazie al sistema uninominale, introdotto da una frettolosa riforma elettorale, l'alleanza dei progressisti, che sulla carta non arrivava al 30 per cento dei voti, avrebbe ottenuto il 70 per cento dei seggi. È così che è nato Silvio Berlusconi, dalla nostra fretta di sciogliere quel Parlamento.

Se la sinistra si fosse alleata con Mario Segni, le elezioni del 1994 avrebbero potuto avere un esito diverso?

Oggi sono convinto di sì, perché Segni leader di un'alleanza di centrosinistra sarebbe stato una garanzia per quegli ambienti moderati che volevano un rinnovamento della politica, ma non accettavano che a guidarlo fosse un ex comunista. È questo il dato con cui non facevamo fino in fondo i conti: esisteva un'Italia per bene anche dall'altra parte, ma era ancora profondamente moderata, non disposta a consegnare il potere a un insieme di forze di sinistra, largamente minoritarie nel Paese. Un mondo moderato ancora permeato di anticomunismo che non si fidava di un semplice cambio di nome e simbolo, visto che gli uomini del Pds erano gli stessi del vecchio Pci. La nostra dirigenza fece un calcolo diverso: era convinta che i partiti di governo, falcidiati dalla magistratura, si sarebbero presentati alle elezioni in ordine sparso, e che sarebbero state sbaragliate dalla "gioiosa macchina da guerra" progressista messa in campo da Occhetto, l'alleanza con Rifondazione comunista, i Verdi e la Rete di Leoluca Orlando. Occhetto era talmente sicuro di vincere, che ai giornali stranieri che venivano a intervistarlo parlava già come un presidente del Consiglio.

E invece, dietro l'angolo c'era Silvio Berlusconi, un imprenditore che aveva costruito un impero mediatico all'ombra del Caf e amico fraterno di Bettino Craxi.

Già, liquidato Bettino Craxi, venne avanti il suo finanziatore, come sottolineò ironicamente Paolo Cirino Pomicino, un uomo della scuola andreottiana. Questo è stato il grande capolavoro di Mani pulite e dei suoi acritici sostenitori. Col senno di poi, era molto meglio Craxi. Se uno leggeva le carte che i giudici inviavano in Parlamento, si rendeva conto di come stavano le cose. Facemmo finta di non capire. Ma la nostra astuzia era al servizio di un disegno così fragile che alla fine ha prodotto il fenomeno Berlusconi. Mi duole dirlo, ma Berlusconi è nato perché a sinistra in tanti erano convinti che la magistratura poteva essere una leva per arrivare al governo, e c'era un leader come Occhetto che era convinto di avere il monopolio dell'astuzia.

Secondo lei, perché Berlusconi vinse le elezioni politiche del 1994: per il suo potere mediatico o perché era ancora forte la paura del comunismo?

Vinse perché alla maggioranza degli elettori sembrava ingiusto lo sbocco verso cui si stava indirizzando la crisi della prima Repubblica. I partiti che avevano combattuto il comunismo (e che quindi avevano il merito di aver mantenuto l'Italia nel mondo libero) erano stati distrutti dalla magistratura. Mentre gli eredi del Pci, sconfitti dalla storia, stavano arrivando al potere grazie ai magistrati.

Lei pensa che le tre reti televisive di cui era proprietario non fecero la differenza?

No. In realtà, Berlusconi capì quanto il tema dell'anticomunismo fosse profondamente radicato nel ventre dell'Italia: lo impugnò, ne fece una bandiera ed ebbe successo. Questa fu la sua arma in più. Certo, il potere mediatico lo aiutò molto, perché attraverso le reti televisive il suo messaggio semplice arrivò al Paese. Ma quello che a sinistra tendiamo a sottovalutare è che la risposta di Berlusconi, agli italiani apparve credibile. E per certi ambienti, la sua "discesa in campo" fu anche provvidenziale.

Provvidenziale, dice?

Tutti gli apparati che durante la guerra fredda avevano combattuto il comunismo (anche con metodi non ortodossi) si sentivano improvvisamente alla mercé del nemico, avevano paura delle vendette. Ovviamente io non penso che se avessimo vinto noi, avremmo instaurato un regime di ritorsioni. I nostri dirigenti avevano un radicatissimo senso dello Stato; e anche da comunisti ne avevano dato prova. Penso a Ingrao, Jotti e Napolitano, presidenti della Camera; a uomini come Gerardo Chiaromonte, presidente dell'Antimafia e a tanti altri. Il problema, però, è che di una possibile vendetta comunista erano convinti gli altri. E abbiamo visto a quali degenerazioni può portare la paura ossessiva del nemico.

Gli ambienti dell'oltranzismo atlantico non avrebbero accettato l'esito di libere elezioni?

Non voglio mettere in dubbio la lealtà dei vertici delle forze armate e degli altri apparati dello Stato, che era fuori discussione. Ma in quegli ambienti c'era chi pensava che la competizione elettorale che si stava profilando, con i partiti di governo sotto scacco da parte della magistratura, sarebbe stata truccata: per loro, Berlusconi costituiva una sorta di ultima spiaggia. Lo zoccolo duro dell'anticomunismo di Stato si riunì intorno a lui per combattere una battaglia vissuta come lotta per la sopravvivenza.

L'anticomunismo era dunque un collante ancora più forte della lotta alla corruzione, visto che poteva mobilitare la maggioranza del Paese, di quello stesso Paese che aveva dato il 95 per cento dei sì nel referendum elettorale di Segni?

La paura del comunismo, abilmente strumentalizzata da Forza Italia, fece passare in secondo piano tutto. Berlusconi però fu anche astuto, perché in campagna elettorale non affrontò il tema di Mani pulite. Anzi, si presentò come homo novus e ringraziò la magistratura per il lavoro svolto. Dopo la vittoria, offrì anche a Di Pietro il ministero della Giustizia. Certo, temeva anche per la sua sopravvivenza come imprenditore, perché si rendeva conto che dietro il "partito giustizialista" c'erano poteri e ambienti economici che non lo amavano. Quando Di Pietro gli disse di no, capì che i magistrati avrebbero preso di mira anche lui (come poi in effetti è avvenuto) e cominciò a cavalcare l'ondata antigiustizialista: l'Italia non è un Paese che resti a lungo innamorato dei pubblici ministeri.

Passò in secondo piano anche il conflitto di interessi, visto che gli italiani votarono in maggioranza per un candidato che pos-

sedeva tre reti televisive private e, in caso di vittoria, avrebbe controllato anche le tre reti pubbliche. Perché un Paese che aveva ancora paura del fantasma comunista non si preoccupò invece del rischio assai più concreto di una dittatura mediatica?

Perché la paura del comunismo, che Berlusconi seppe abilmente risvegliare nel ventre profondo del Paese, si dimostrò talmente radicata che, al confronto, le sei reti televisive controllate da Berlusconi apparvero il minore dei mali alla maggioranza del Paese, convinta che il potere mediatico del nuovo leader avrebbe bilanciato il potere giudiziario del Pds. Come ho già detto, Berlusconi era cosciente della sua anomalia e, per esorcizzarla, aveva bisogno di evocarne una contraria. In questo fu bravissimo. Ma noi lo aiutammo molto. Criminalizzandolo e dipingendolo come il demonio o un nuovo Mussolini. La sinistra fece esattamente quello che Berlusconi sperava che facesse, perché gli offrì continuamente pretesti per dire ai suoi elettori: avete visto, hanno cambiato nome, ma in fondo restano stalinisti. Noi abbiamo aiutato Berlusconi ad apparire credibile al proprio elettorato.

Se la sinistra radicale e giustizialista non fosse esistita, Berlusconi avrebbe dovuto inventarla?

Può sembrare una battuta, ma è la pura verità. Abbiamo visto come, negli anni della prima Repubblica, le componenti estremistiche all'interno dei contrapposti schieramenti fossero in qualche modo funzionali le une alle altre. Solo che nei partiti di allora c'erano solide leadership e quindi furono sempre tenute ai margini. Dopo la caduta del Muro, invece, presero il sopravvento all'interno dell'uno e dell'altro campo. Con conseguenze inimmaginabili neppure negli anni più duri della guerra fredda: per la prima volta nella storia repubblicana, tra gli schieramenti contrapposti si determinò una condizione di reciproco "non riconoscimento" democratico.

Insomma, caduto il Muro, si bruciò quel tessuto unitario che aveva consentito al Paese di reggere anche nei momenti più critici. È questo il paradosso italiano: finita la guerra fredda, si riaprì la guerra civile?

Entrò in crisi il patto costituzionale che aveva tenuto insieme il Paese nel dopoguerra. Riesplose l'odio politico, dilagò la paura dell'avversario. E in nome dell'uno e dell'altra, si poteva giustificare qualsiasi cosa. Ricordo il giorno d'insediamento del nuovo Parlamento, dopo la vittoria di Berlusconi, che riportava al governo gli eredi del partito fascista. Il Transatlantico di Montecitorio e l'anticamera dell'aula di Palazzo Madama erano affollati di ex prefetti e di ex generali, ora neoparlamentari di Forza Italia e di Alleanza nazionale, che irridevano sprezzanti gli avversari sconfitti. Molti miei compagni non volevano credere ai propri occhi. Erano convinti che le aule parlamentari presto sarebbero state trasformate in un bivacco dei manipoli berlusconiani, ansiosi di prendersi la rivincita su Mani pulite. E la nostra unica preoccupazione era di farli durare il meno possibile al potere: bisognava liberare in ogni modo le istituzioni da quell'orda barbarica. Questo era lo stato d'animo...

Era lo stato d'animo dell'intera Europa di fronte alla novità italiana. Si era imposta una nuova destra nata dall'innesto della cultura postfascista di Alleanza nazionale sul potere mediatico di Forza Italia. Giusta o sbagliata che fosse, l'idea dei socialdemocratici, ma anche dei conservatori europei, era che Berlusconi costituisse un pericolo per tutti.

Lei ha ragione, questo pensavano di noi in quel momento. Del resto, Berlusconi non fece nulla che rassicurasse. Anzi, appena insediato il suo governo, si impossessò anche delle tre reti televisive pubbliche e poi mosse all'attacco del Quirinale e degli altri poteri di garanzia come la Corte costituzionale e la Banca d'Italia, oltre naturalmente ai giudici di Mani pulite. Si era passati da un eccesso all'altro. Era saltata ogni regola. Il sistema era impazzito. E negli ambienti internazionali c'era molta preoccupazione per la situazione italiana. Si temeva che i sentimenti di odio politico compressi durante la guerra fredda esplodessero all'improvviso facendo saltare il coperchio. Non solo i nostri alleati europei, ma anche gli americani temevano un collasso del nostro Paese.

Qualche anno fa, mi è capitato di intervistare Reginald Bartholomew, ambasciatore americano a Roma tra il 1993 e il 1997. Mi ha raccontato che nel 1993 era a Bruxelles, alla Nato, ed era già stato trasferito in Israele, quando Clinton gli chiese improvvisamente di venire in Italia. Lui si stupì, ma il presidente insistette: voleva a Roma uno con il suo curriculum...

E che curriculum, aveva?

Era stato in Libano quando quel Paese era dilaniato dalla guerra civile, poi aveva compiuto una serie di missioni in Medio Oriente e nel golfo Persico all'epoca della rivoluzione khomeinista e della guerra Iran-Iraq, era stato a Cipro durante il conflitto greco-turco, a Pechino subito dopo la rivolta studentesca di piazza Tien An Men, a Mosca dopo il collasso del Patto di Varsavia, a Sarajevo e a Mostar durante la guerra civile serbo-bosniaca...

Ecco, appunto. Questo dimostra quanto gli americani fossero preoccupati per la situazione italiana. Eravamo a un passo dalla bancarotta finanziaria, la Lega di Umberto Bossi minacciava la secessione, la mafia metteva le bombe, erano in subbuglio interi pezzi degli apparati dello Stato che avevano combattuto il comunismo durante la guerra fredda, e i magistrati di Mani pulite distruggevano un intero ceto politico senza dare tempo che uno nuovo giungesse a sostituirlo. Questo era il quadro. Senza contare che, proprio sulla porta di casa nostra, nell'ex Jugoslavia, serbi, croati, bosniaci e musulmani si stavano scannando tra loro. L'Italia era una polveriera, ed era sotto il monitoraggio costante dei nostri alleati. Se non avvenne il peggio, fu anche per questo.

Il primo governo Berlusconi del 1994 non durò a lungo, cadde meno di un anno dopo le elezioni, in seguito a un tradimento della Lega, che uscì dalla maggioranza. Sarebbe successo senza appoggi internazionali?

Berlusconi cadde innanzitutto perché all'interno della sua stessa maggioranza c'era chi si era reso conto che poteva effettivamente costituire un pericolo. La Lega di Umberto Bossi trovò una sponda politico-parlamentare nei popolari allora diretti da Rocco Buttiglione e nel Pds di Massimo D'Alema, che aveva sostituito Occhetto alla segreteria; e sul piano istituzionale, nel presidente della Repubblica Scalfaro. Ma per rispondere alla sua domanda, il governo non sarebbe stato messo in crisi, se in America, nella Nato, negli ambienti politici europei e in Israele (dove Alleanza nazionale era ancora considerata un partito fascista) non avessero dato il via libera all'operazione. I partiti che avevano vinto le elezioni del 1994 erano forze spurie rispetto alle grandi famiglie democratiche (conservatori, liberali e socialisti) della politica europea e quindi costituivano un'anomalia.

Però avevano vinto le elezioni, e questo non era certo un dettaglio di poco conto.

Nella logica di una democrazia bipolare, la caduta del primo governo Berlusconi sarebbe stata un inaccettabile ribaltone. Ma il problema era diverso. Le nuove leggi elettorali ispirate al maggioritario erano disarmoniche rispetto a un testo costituzionale che presupponeva meccanismi elettorali proporzionali. Per cui, dal punto di vista costituzionale, Berlusconi era a Palazzo Chigi non perché aveva vinto lui le elezioni, ma perché da quelle elezioni era venuta fuori una maggioranza che gli aveva votato la fiducia. Pertanto quando Bossi ruppe il patto di maggioranza, la caduta di Berlusconi era perfettamente legittima. Così come, dal punto di vista costituzionale, era legittimo che un suo ministro, Lamberto Dini, formasse un governo, e che questo trovasse in Parlamento una nuova maggioranza. Però non vi è dubbio che dal punto di vista politico e geopolitico l'anomalia berlusconiana venne ritenuta intollerabile. Fu come se la *conventio ad excludendum* che per quarant'anni aveva impedito all'anomalia comunista di andare al governo, nel 1994 agisse nei confronti dell'anomalia opposta, quella berlusconiana.

Allora perché, dopo la vittoria dell'Ulivo nelle elezioni del 1996 gli ex comunisti andarono al governo e ci rimasero per l'intera legislatura?

Innanzitutto perché l'Ulivo non era lo schieramento progressista di Occhetto, ma una coalizione più ampia e aperta ai moderati. In secondo luogo perché a guidare la coalizione di centrosinistra era Romano Prodi, un cattolico democratico, ma anticomunista, legato ai circoli dell'atlantismo illuminato dell'Europa e dell'America, ed espressione dei "poteri tecnocratici". Infine, perché la coscienza collettiva cominciò a introiettare che il Pds era qualcosa di più di un partito di ex comunisti, una volta che era stato accolto nell'Internazionale socialista: era entrato a pieno titolo nella grande famiglia della socialdemocrazia europea. Con l'Ulivo stava per arrivare in qualche modo a compimento il disegno di quegli ambienti laico-azionisti di cui abbiamo a lungo parlato: quello di una loro egemonia all'interno di un centrosinistra pienamente legittimato perché non più condizionato dalla presenza di un'anomalia comunista.

Ha dimenticato una quarta ragione, probabilmente: il fatto che alla guida del Pds ci fosse Massimo D'Alema e non più Occhetto. Ricorda i primi atti della sua segreteria? Per prima cosa disse che la Dc e l'anticomunismo democratico avevano avuto storicamente ragione...

È così. D'Alema ebbe il coraggio di fare quello che non fece il suo predecessore al momento della svolta. Disse cose giuste anche su Bettino Craxi "e sul socialismo italiano", la cui storia secolare e gloriosa non poteva certo esaurirsi nella criminalizzazione operata da Mani pulite. Prese le distanze dai giudici: dai loro eccessi, non dalla loro funzione. Tese la mano all'avversario, Berlusconi. Gli fece visita proprio nella sede del suo impero mediatico, alla Fininvest di Segrate, per riconoscergli quello che gli andava riconosciuto, e cioè che le sue televisioni non erano il male in sé. Quella di D'Alema era esattamente la politica che l'opinione pubblica moderata e anticomunista si aspettava da un ex comunista: la prova, cioè, di una sua effettiva conversione alla cultura liberale. Lei ha ragione, vincemmo le elezioni del 1996 anche perché il Pds si presentava con la faccia seria e rassicurante di Massimo D'Alema.

11
Il sogno infranto della Bicamerale

La politica di D'Alema, dopo la vittoria dell'Ulivo ebbe uno sbocco nella Bicamerale che purtroppo naufragò miseramente. Ma prima di chiederle perché fallì, vorrei che mi dicesse qual era lo scopo di quella proposta.

Avendo un profondo senso della storia oltre che della politica, D'Alema aveva capito che la transizione italiana non sarebbe mai arrivata a compimento senza un nuovo patto tra destra e sinistra. Perciò offrì all'opposizione sconfitta un terzo compromesso storico per costruire insieme le regole del nuovo sistema. Si trattava, in sostanza, di adeguare l'architettura costituzionale e i poteri dello Stato a un sistema politico bipolare. Quello che offriva era un patto di convivenza basato su regole condivise: competizione elettorale anche aspra su chiare opzioni programmatiche; accettazione senza traumi della sconfitta; riconoscimento al vincitore del diritto-dovere di attuare il proprio programma e al perdente di controllarne realmente l'operato, fino alla successiva competizione elettorale. Il patto avrebbe definitivamente chiuso la guerra civile attraverso il reciproco riconoscimento democratico.

La Bicamerale, dunque, avrebbe dovuto chiudere definitivamente la pagina della guerra fredda e riportare lo scontro tra le opposte fazioni politiche all'interno della fisiologia democratica. Perché fallì?

Perché ancora una volta i conservatori dell'uno e dell'altro campo misero i bastoni tra le ruote. E poi perché Berlusconi si rese conto lucidamente che una normalizzazione del Paese non gli avrebbe giovato, in quanto avrebbe reso più stridente e non più tollerabile la sua anomalia mediatica, che non ha eguali in democrazie "normali". Questa è la pura verità. Forse noi commettemmo anche un errore. Quello di non limitarci alla riforma dell'architettura dei poteri rappresentativi (Parlamento, governo, presidente della Repubblica) disegnata dalla Costituzione del '48. Allargammo il campo al sistema delle garanzie: cioè, Corte costituzionale, Corte dei Conti e magistratura ordinaria e amministrativa. In questo modo finimmo per coalizzare contro di noi tutti i nemici della Bicamerale. I nemici politici, innanzitutto: quelli che, nel centrodestra, ritenevano che non si dovesse dialogare con un ex comunista; e quelli che, nel centrosinistra, ritenevano che Berlusconi dovesse finire in galera e le sue televisioni confiscate. E poi i nemici esterni alla politica: le varie magistrature e l'area culturale azionista che era tutta schiacciata sulle prospettive dei pubblici ministeri. Ci spararono addosso dalle colonne dell'«Espresso» e di «Repubblica», dando versioni caricaturali della Bicamerale e trattandoci come una banda di ladroni. Avremmo dovuto ricordarci di Machiavelli, che ammoniva sempre il principe a essere parco nelle riforme. Forse avremmo dovuto porci un obiettivo più limitato e capire che la vera ricucitura andava fatta innanzitutto sul piano politico: una volta ridefinite le regole elettorali, riequilibrati i rapporti tra governo, Parlamento e presidente della Repubblica e ridefiniti i loro poteri, il resto sarebbe dovuto venire dopo, attraverso la dialettica tra maggioranza e opposizione.

Il "resto", come dice lei, che cos'era: la messa in mora della magistratura?

Il resto era la riforma del sistema delle garanzie e la ridefinizione del loro rapporto con gli altri poteri dello Stato, un equilibrio che era completamente saltato. E questo problema andava affrontato di pari passo con quello del conflitto di interessi di Berlusconi.

Molti, nel centrosinistra e persino nel suo partito, hanno accusato D'Alema di non aver voluto risolvere il conflitto di interessi quando l'Ulivo governava. Se l'avesse fatto, Berlusconi non avrebbe rivinto le elezioni politiche del 2001 e non sarebbe tornato al governo. Ha fondamento questa accusa?

La ritengo un'accusa ingiusta, il riflesso pericoloso di una cultura giustizialista che, come abbiamo visto, ha avuto il suo ruolo nella nascita del fenomeno Berlusconi. Il conflitto di interessi è un problema che esiste e va risolto; ma lei si immagina che cosa sarebbe successo se D'Alema avesse risolto unilateralmente il conflitto di interessi e avesse detto: «ora stabilisco io a quali condizioni il capo dell'opposizione può aspirare al governo del Paese». Ma non scherziamo. La critica che muovo a D'Alema è semmai quella di non essersi difeso dalle accuse rivendicando con orgoglio la giustezza della sua politica.

Detto questo – e io concordo con lei – rimane il conflitto di interessi, che continua a condizionare l'evoluzione della politica italiana. Come se ne esce?

Il problema rimane, certo. E va affrontato una volta per tutte. Ma non crediamo che solo la sinistra sia interessata alla soluzione del conflitto di interessi, lo sono anche molti esponenti del centrodestra. Il fatto che un presidente del Consiglio possa trovarsi nella condizione di controllare l'intero potere televisivo – pubblico e privato – è una questione di interesse generale. La soluzione, però, deve essere equilibrata. Perché se pensiamo di togliere a Berlusconi il suo potere mediatico semplicemente per trasferirlo a un Berlusconi di sinistra, non va bene. Io non voglio entrare nel merito delle soluzioni tecniche. Ma dal punto di vista politico, mi sento di dire questo: quanto più la sinistra sarà capace di moderazione, quanto più mostrerà rispetto per gli avversari, tanto più un uomo come Berlusconi apparirà un'anomalia all'interno del suo stesso campo. Combatta, la sinistra, gli estremisti del suo campo. E si motiveranno i moderati a combattere gli estremisti nel campo della destra. Se c'è una lezione che possiamo apprendere dalla nostra storia – tragica eppure grande – è proprio questa.

Ancora una volta, dunque, la normalizzazione del sistema passa attraverso la lotta agli opposti manicheismi?

È quello che penso. Da un lato, il manicheismo di Berlusconi e dei suoi pasdaran: la loro assurda pretesa, così contraria al razionalismo europeo, di vivere il bipolarismo come una lotta tra Bene e Male esclude in radice il valore dell'alternanza, che è invece fondativo di una democrazia bipolare e bipartitica. Dall'altro, occorrerebbe battere l'opposto manicheismo che continua ad albergare in tanta parte della sinistra italiana: penso soprattutto a «Micromega», al giustizialismo del suo direttore Paolo Flores d'Arcais e anche ad alcune punte di radicalismo azionista, che continuano a frenare le opzioni riformiste di buona parte del gruppo dirigente del centrosinistra.

C'è il conflitto di interessi. Ma ci sono anche numerosi altri conti col passato che aspettano di essere chiusi una volta per tutte. Penso agli eccidi nazifascisti impuniti, alle vendette partigiane, alle stragi compiute tra il 1969 e il 1980, ai delitti degli anni di piombo, ai tanti giovani – di destra e di sinistra – caduti durante la guerra civile che ha continuato a insanguinare il Paese anche a decenni di distanza dal 25 aprile 1945...

È il problema complessivo di un Paese che non riesce a guardare avanti, perché in qualche modo resta prigioniero del proprio passato, dividendosi aspramente sull'interpretazione degli ultimi cinquant'anni di storia repubblicana. Dandone spesso letture così contrapposte da essere quasi caricaturali, nella loro speculare faziosità. E chi prova a fare operazioni di verità, in un campo come nell'altro, resta sostanzialmente isolato. Penso al dramma di un uomo come Adriano

Sofri. Fu uno dei protagonisti della guerra civile a bassa intensità esplosa a cavallo tra gli anni Sessanta e Settanta. È uno dei pochi che prova a fare un'operazione di verità, dando una lettura dolorosamente equanime di quella stagione e descrivendola come il dramma di un'intera generazione. Ma lui resta in galera.

Come possiamo liberarci del nostro passato? C'è un modo che non sia la semplice rimozione?

Possiamo, dobbiamo emanciparci dal nostro passato attraverso un'operazione insieme politica e culturale, che cicatrizzi le ferite ancora aperte e ponga le condizioni per un'effettiva stagione di riforme per modernizzare il Paese. Un Paese che continua a declinare proprio perché ancora drammaticamente diviso.

Lei parla di un'operazione «insieme culturale e politica». Ma che cosa intende dire esattamente?

Intendo dire che abbiamo bisogno di costruire una memoria condivisa e che questa è la base su cui appoggiare la riforma del sistema. Le due cose non possono essere scisse. Le riforme hanno bisogno di un'atmosfera costituente, perché è impensabile che ciascuno dei due schieramenti possa imporre all'altro la propria visione costituzionale, come è avvenuto dopo il fallimento della Bicamerale a opera del centrosinistra e, nella legislatura successiva, a opera del centrodestra. Le regole dello stare insieme devono essere necessariamente condivise. Ma un'atmosfera costituente non può crearsi finché ci si divide così aspramente sul passato. E non ci si dividerà più sul passato solo quando ognuno dei due schieramenti saprà riconoscere, oltre ai propri meriti, anche i propri torti, e quindi anche le ragioni dell'avversario.

C'è l'esigenza di ricostruire una memoria, lei dice. Ed è senz'altro vero. Ma a chi questo compito? Dubito che possano essere i politici ad assolverlo, dato che loro sono continuamente in campagna elettorale e che, comunque, hanno già il dovere di pensare all'oggi e al domani. Le chiedo, allora: vede, fra gli intellettuali di maggior prestigio, qualcuno che abbia davvero voglia di farlo?

No, purtroppo: non vedo intellettuali così coraggiosi. La cultura italiana è ancora oggi condizionata dagli schemi della guerra fredda: oscilla tra la rimozione e la propaganda. Ed è un male per il Paese, che ha invece bisogno di menti davvero libere. Nella latitanza dell'intellettualità, oggi sono soprattutto i giornalisti a tentare ricostruzioni del passato fuori dalle vulgate tradizionali. Lo considero un fatto positivo, un segno di vitalità dell'informazione italiana.

C'è una parte del Paese che affida invece alle inchieste della magistratura il compito di ricostruire il nostro passato, dalle stragi nazifasciste al caso Moro, passando per il rogo di Primavalle...[1] *È possibile ricostruire una verità storica senza prescindere dalla verità giudiziaria?*

Una nazione moderna e matura affida alla storia – e non alle corti di giustizia – la ricostruzione del proprio passato. Le pressioni per la riapertura delle inchieste giudiziarie su vicende vecchie di decenni, più che una domanda di giustizia, celano in realtà un revanscismo nei confronti dell'avversario politico: riaprono le ferite, non le rimarginano, quindi costituiscono soltanto un momento di questa eterna guerra civile italiana. Una guerra nella quale non possono esserci ragionevolmente dei vincitori, ma che può portare solo alla sconfitta di tutti.

Lei parla di revanscismo. Ma c'è anche un bisogno di verità, non crede?

È vero, molti, anche in buona fede, continuano a essere contrari a una chiusura giudiziaria non per volontà di vendetta, ma per bisogno di verità. Tuttavia, resto fermo nella mia idea. Una giustizia che giunge a tanti anni dai fatti è già in sé una mezza giustizia. E trovo poi ingenuo pensare che la giustizia sia la via migliore per giungere alla verità. Verità giudiziaria e verità storica assai spesso non coincidono. Se coincidessero dovremmo concludere che il Nazareno e Socrate furono colpevoli, visto che la giustizia li condannò! Per venire a tempi più recenti, molti dubitano della fondatezza delle condanne di Francesca Mambro e Giusva Fioravanti per la strage di Bologna, e di Adriano Sofri per l'omicidio Calabresi. Anzi, ritengono che le condanne abbiano addirittura oscurato la verità.

Resta tuttavia il problema di una verità incompleta.

Sì, per esempio è incompleta la verità giudiziaria sugli anni di piombo. Anche perché, a molti, il silenzio dei protagonisti (e forse l'inerzia delle istituzioni repressive) ha garantito e garantisce impunità. Probabilmente quel silenzio cadrebbe se le nuove testimonianze non avessero conseguenze giudiziarie. Piperno ci disse, in Commissione stragi, che si rese conto della forza reale delle Brigate rosse riflettendo sul livello alto borghese della casa romana vicino a Piazza Cavour, in cui nel 1978 gli fu possibile incontrare Moretti, l'autore confesso dell'uccisione di Moro. Non ha voluto dire altro; la Commissione non è riuscita a fargli dire altro; né so se magistrati abbiano provato a fargli dire qualcosa di più. Probabilmente, un intellettuale come Piperno direbbe di più, anche al fine di ricostruire per intero la storia di quegli anni e gli ambiti di contiguità delle Brigate rosse. Ma se fosse certo di una neutralizzazione sul piano giudiziario delle sue rivelazioni.

Avvocato, dopo quasi dieci anni di indagini parlamentari, lei non ha più voluto ricandidarsi ed è tornato nella sua Lecce. Ha qualche rimpianto?

Ho dei rimpianti, sì. Ma soprattutto ho l'amarezza di una constatazione: in politica non c'è modo più intenso di avere torto, che avere ragione in ritardo. Su tutti i temi della mia apparente eterodossia rispetto al mio schieramento politico il tempo sta finendo per darmi ragione. Fui tra i primi a prendere ragionevolmente le distanze dagli eccessi giudiziari e a sottolineare la necessità che tra politica e giurisdizione si ristabilisse un nuovo equilibrio. E rimasi isolato, all'interno dei Ds, quando posi il problema di non criminalizzare la storia del Psi e di Bettino Craxi: oggi, anche il segretario del mio partito, Piero Fassino, riconosce finalmente che Craxi fa parte del patrimonio della sinistra italiana. Non finirò mai di rimpiangere l'occasione che perdemmo quando, presidente della Commissione stragi, mi fu impedito di andare ad Hammamet per ascoltare Craxi. Avrebbe potuto raccontare molte cose sul nostro passato. Ma soprattutto la nostra visita avrebbe consentito a lui di ristabilire un rapporto con l'istituzione parlamentare, cui Craxi fortemente teneva. Avevamo ascoltato tutti i leader della prima Repubblica, da Andreotti a Cossiga, da Taviani a Forlani. Era quindi giusto ascoltare anche Craxi, riconoscendogli il ruolo che aveva avuto nella storia del Paese. Ma un moralismo d'accatto di quanti, nel centrosinistra, si appiattivano sulla posizione dei giudici milanesi, impedì che ciò avvenisse. Se sento la sconfitta politica, non sento però quella culturale. Culturalmente penso di aver avuto ragione. E continuo a sperare che la forza delle cose imponga a questo Paese scelte improntate al buon senso e alla moderazione...

Moderazione, in questo nostro Paese, è una parola con un significato negativo...

Andrebbe invece rivalutata. La virtù laica del dubbio frena la naturale tendenza a estremizzare le proprie posizioni. E quindi implica una moderazione, che, intesa come il riconoscimento della legittimità delle posizioni contrapposte, è il sale di una democrazia matura.

Note

1. La Volante rossa

1. Aldo Cazzullo con Edgardo Sogno, *Testamento di un anticomunista, dalla Resistenza al golpe bianco*, Milano, Mondadori, 2000.
2. "Triangolo della morte", la zona tra Bologna, Reggio Emilia e Modena dove, subito dopo la guerra, bande partigiane consumarono le loro vendette assassinando molti ex gerarchi fascisti e avversari politici.
3. "Svolta di Salerno" è il nome con cui passò alla storia la linea moderata impressa da Togliatti al Pci nel marzo 1944. Rientrato in Italia da Mosca, dove era stato un dirigente del movimento comunista internazionale, in una riunione del partito, il segretario comunista accettò il governo di unità nazionale guidato dal monarchico Pietro Badoglio, rinviando a dopo la guerra la questione della scelta tra monarchia e repubblica. E inoltre gettò le basi per la trasformazione del Pci da partito di quadri in partito di massa.
4. Audizione di Francesco Cossiga in Commissione stragi.
5. Miriam Mafai, *L'uomo che sognava la lotta armata*, Milano, Rizzoli, 1984.
6. Cfr. Aldo Cazzullo con Edgardo Sogno, *Testamento di un anticomunista*, cit., p. 101.

2. Atlantici d'Italia

1. Stay Behind è l'organizzazione segreta della Nato (il ramo italiano si chiamava Gladio) che avrebbe dovuto compiere atti di sabotaggio "dietro le linee nemiche", nel caso in cui

forze del Patto di Varsavia avessero invaso un Paese dell'Europa occidentale.

2. Frances Stonor Saunders, *La guerra fredda culturale. La Cia e il mondo delle lettere e delle arti*, Roma, Fazi, 2004. Pubblicato per la prima volta in Inghilterra nel 1999, il libro ricostruisce la più grande operazione coperta della Cia nell'Europa occidentale, l'utilizzo delle élite culturali per contrastare la propaganda sovietica.

3. Il compromesso democratico

1. Cfr. Giovanni Fasanella, *D'Alema, l'ex comunista amato dalla Casa Bianca*, Milano, Baldini & Castoldi, 1999, testimonianza di Francesco Cossiga, p. 279: «Quand'ero ministro dell'Interno, avevo in tempo reale i resoconti del Comitato centrale e della Direzione comunista. No, non dirò mai come mi arrivavano. Posso dire solo che le informazioni sul Pci erano di due origini: una direttamente di fonte democristiana, un'altra del ministero dell'Interno. Era illegale, certo, che io avessi informatori dentro il Pci, lo so benissimo. Ma anche i comunisti avevano le loro spie nella Dc e nel ministero dell'Interno. Era logico, in quel contesto. Questo non mi ha mai scandalizzato».

4. La rottura dell'equilibrio

1. La pubblicazione di *La gran bonaccia delle Antille*, nel 1957, segna il punto di rottura tra lo scrittore e il Pci, dopo la crisi dei rapporti tra partito e intellettuali in seguito all'invasione sovietica dell'Ungheria del 1956. In una lettera allo storico e amico Paolo Spriano, Calvino esprime tuttavia il desiderio di mantenere un canale aperto: «Caro Pillo, come hai visto, sono riuscito a dimettermi senza una rottura completa, e conto di proseguire il mio dialogo con il partito [...]. Ora sono improvvisamente preso dal bisogno di fare qualcosa, di "militare", mentre finché ero nel partito non ne sentivo il bisogno e potevo vivere tranquillo».
2. "Complesso cileno", ovvero la paura di un golpe militare della destra in caso di vittoria elettorale della sinistra.

Com'era accaduto nel 1973 in Cile, ad opera del generale Augusto Pinochet, dopo la vittoria del socialista Salvador Allende.

3. "Tintinnio di sciabole" è la famosa frase con cui Pietro Nenni alluse alla minaccia militare che incombeva sulla politica italiana nell'estate 1964. Mentre era in corso la trattativa per risolvere la crisi del primo governo Moro (che aveva inaugurato la stagione del centrosinistra), a casa del senatore Tommaso Morlino si svolse una riunione di alcuni esponenti democristiani, tra cui Moro e Benigno Zaccagnini. Il presidente della Repubblica Segni, contrario al centrosinistra, pretese che a quell'incontro partecipassero anche il comandante dei carabinieri Giovanni De Lorenzo e il capo della polizia Angelo Vicari. Un'anomalia che suonò come un avvertimento ai socialisti per indurli a mitigare le loro pretese sul programma di governo.
4. Cfr. Aldo Cazzullo con Edgardo Sogno, *Testamento di un anticomunista*, cit., p. 91: «Io ero già in contatto con altri funzionari dello Stato, in una sorta di cellula anticomunista. C'erano il prefetto Marzano per il ministero dell'Interno, che mi aveva presentato Malfatti, e il colonnello Rocca per la Difesa. Scelba ci chiese di dare una forma organizzata alla nostra cellula, che lui intendeva chiamare Difesa civile, in modo da farne il cervello dell'anticomunismo di Stato».

5. La guerra civile a bassa intensità

1. La "tecnostruttura" (nome in codice, "Noto servizio") è una misteriosa organizzazione le cui tracce vennero scoperte dal giudice Giovanni Arcai, nel corso della sua inchiesta sulla strage di piazza della Loggia, a Brescia, avvenuta nel 1974. Fondata subito dopo la guerra da un gruppo di agenti segreti occidentali e dell'Est, in seguito la "tecnostruttura" avrebbe manovrato, a seconda delle circostanze, sia il terrorismo nero che quello rosso. Attualmente il "Noto servizio" è al centro di una nuova indagine a Brescia.
2. Cfr. Giovanni Fasanella e Alberto Franceschini, *Che cosa sono le Br*, Milano, Bur Futuropassato, 2004, p. 68.

6. Moro e Berlinguer

1. Alfredo e Antonio Di Dio, comandanti della brigata partigiana Val Toce, che operava in Piemonte ed era sostenuta da gruppi cattolici.
2. Cfr. Giovanni Fasanella, *D'Alema, l'ex comunista amato dalla Casa Bianca*, cit., p. 277.
3. Cfr. Eugenio Scalfari, *La sera andavamo in via Veneto*, Milano, Mondadori, 1986, p. 133.

7. I naufraghi del Titanic

1. Bad Godesberg è il nome della località termale in cui il Partito socialdemocratico tedesco, nel 1958, tenne uno storico congresso: quello in cui abbandonò definitivamente la prospettiva rivoluzionaria, rompendo con la tradizione marxista, per approdare al riformismo.

9. Il disegno tecnocratico

1. Giuseppe Guarino, *Verso l'Europa, ovvero la fine della politica*, Milano, Mondadori, 1997.

11. Il sogno infranto della Bicamerale

1. A Primavalle, quartiere popolare di Roma, la notte tra il 15 e il 16 aprile del 1973 muoiono carbonizzati nella loro abitazione i fratelli Virgilio e Stefano Mattei, di 22 e 8 anni, figli del segretario della sezione locale del Movimento sociale italiano. In seguito, la magistratura indagherà su alcuni giovani romani, militanti in Potere operaio.

Indice analitico

Indice del volume

BUR
Periodico settimanale: 4 maggio 2005
Direttore responsabile: Rosaria Carpinelli
Registr. Trib. di Milano n. 68 del 1°-3-74
Spedizione in abbonamento postale TR edit.
Aut. N. 51804 del 30-7-46 della Direzione PP.TT. di Milano
Finito di stampare nell'aprile 2005 presso
il Nuovo Istituto Italiano d'Arti Grafiche - Bergamo
Printed in Italy

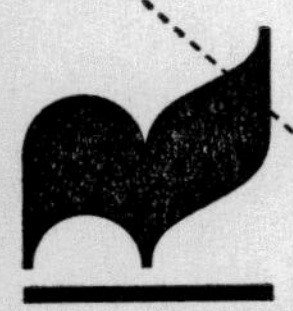

ISBN 88-17-00630-0